〈ものを書く〉ことについて考える

小鷹昌明

GENTOSHA
幻冬舎MC

〈ものを書く〉ことについて考える

はじめに

書きたい人が増えています。インターネットの普及により、ブログやSNS、メルマガなどを通じて書く機会、書ける場が増えたことで、書くためのハードルが下がったからでしょう。

書きたい人が増えているのであれば、読みたい人も増えてもらわなければ困るというのは、書き手の勝手な言い分かもしれませんが、本や雑誌の売れ行きは低迷しているようです。でもそれは、無料でインターネット情報を楽しむことのできる時代ですから、媒体が変化しただけなのかもしれません。読みたい人は確実に増えていると思います。まさに〝書く戦争〟と言ってもいいくらいです。

情報は、音声（会話）と映像（写真）と、そして文字でしか伝える手段がないわけですから、当然、書くという操作が途絶えることはありません。音声と映像はユーチューバーに任せて、文字を書く人は〝モジラー〟として成長していく必要があります。

一〇年ほど前から、私は〝エッセイスト〟を名乗り、書籍を中心にいくつかの文章をまとめてきました。常に書くという行為を意識してきました。そんななかで確信したのは、「私にとっては」という前提がつきますが、書くことは間違いなく暮らしを豊かにしてくれます。もちろん、音楽やスポーツ、グルメや旅行といった、もっともっと五感を刺激してくれる愉悦というか、楽しみはあると思います。しかし、日常的となりますと、なかなか思い通りにはなりません。文章を書くという行為は、ちょっとした隙間時間でも可能です。

話は逸れますが、最近ようやく、ガラケーからiPhoneに切り替えました。一〇年以上使っていたガラケーにガタがきて、そのタイミングでドコモから連絡が入ったのです。「いまならキャンペーン中なので、安く機種変更できます」と。遅かれ早かれ変更せざるを得ないなら変なこだわりは捨てようと、あっさり切り替えました。

いまさらこんなことを言うのは、本当に化石ですが、iPhoneに切り替えたことで、いつでもどこでもメールがチェックでき、返信できます。常にインターネット接続の環境におかれるので、ちょっとした隙間に情報収集ができます。メモ帳、ボイスレコーダー代わりにも当然なります。つまり、いつでもどこでも書くことができるのです。

文字による伝達は、音声より工夫を要しますが、映像よりは簡便です。iPhoneに切り替えたからというわけではありませんが、書く作業がさらに身近になったこのときだからこそ、改めて書くことについて、大袈裟かもしれませんが、問い直さなければならない気がしてきました。漫然と、徒然(つれづれ)なるままにエッセイをしたためてきた自分ですが、文字の氾濫しているいま、なぜ書くのか、何のために書くのか、何を文字として残していくのか、そういうことを考えたいと思うようになりました。

そんななかで、医療情報専門サイト『m3.com』から、連載の依頼が舞い込んできました。二〇一九年四月のことでした。テーマはまさに、経験やネタはあるが、書き方のわからない人向けに、「文章を書くヒントや楽しさ」、「医師にとって書くことへの意義深さ」を伝えてほしいというものでした。

渡りに船、即OKしました。

私はプロの書き手ではありませんし、エッセイストとしても鳴かず飛ばずの状態です。ですが、そんな自分だからこそ、徹底的に書くという行為にこだわっています。読まれるには、売れるには、ということを日々考えています。いま一度この執筆を契機に、書くという作業が何を示し、何を変えていくのかを考えたい。そうすることで、より豊かで深みのある人生を過ごしていきたい。それと同時に、書くことで得られる充実感のようなものを周りに伝えたい。そんな想いで、連載をはじめることにしました。

本書は、サイト内に掲載された文章を、類似の項目ごとに再構成し、時制や体裁を整えるべく加筆修正したものです。もう少し詳しく明かした方がいいだろうと思う内容に関しては、別途項目を増やしました。書いてきた経験や書き方のノウハウにも多少触れていますが、どちらかというと、〝書くことについて考えた本〟です。自分は、なぜ書くことに対して、このように着想し、考察し、語り、ときに逸脱し、変遷していったのかを説いた本です。

私は医者ですので、その立場から語った記述が多くなると思います。しかしながら、それはあくまでひとつの個性を有する人間からの見方であって、他の業種の方々にとっても——むろん、恐縮ながら、実際に文章を書いている方にとっても——十分応用できる内容になるよう努めて参ります。書きたい人が、よりスムーズに執筆に向かえるように、書かない人でも、せめて書く人の気持ちを理解してくれて、あわよくば、書きはじめるきっかけにでもなるように、そして、自分自身にとっても、書くという行為によって何が己を変え、どういうものを生み出していけるのかを考えながら書くつもりです。

素人の書く本ではありますが、でも素人だからこそ見えてきた部分もたくさんあります。

どうぞ、ご一読いただければありがたいです。

目次

第四章　書くことの先には　執筆の外側から …… 149

第一章

いかに書いてきたか！

医者のストレス、エッセイで解消

簡単な自己紹介からはじめたいと思います。

私は、福島県の南相馬市立総合病院で神経内科医をしております、小鷹昌明といいます。

南相馬市といえば、福島第一原発から三五キロメートル圏内に含まれる、いまだ東日本大震災の爪痕を残す被災地です。この病院に医療支援として赴任してきたのが八年前で、それ以前は栃木県の大学病院に一九年間勤務していました。

被災地支援ではじめた社会活動に関心が向き、自称〝社会活動医〟、略して〝社活医〟という肩書きでも、自分のことを紹介しています。


毎日の診療や研究成果の報告など、医者を続けていくのは結構大変なことです。そんななかで、私はエッセイを書くことで、そのプレッシャーというか、ストレスを解消してきました。

ブログやSNSの発達したいまの時代、読者のなかには書くことの好きな人も多いのではないかと推測します。ですが、「どう書いてよいのかわからない」、あるいは、「書いたからどうなるの」と思っている人も、一部にはいらっしゃるでしょう。そこで、私がいかにエッセイを書き、その結果どのような効果を得てきたのかを、まずお伝えします。

エッセイのきっかけは留学体験記　書くことで課題と疑問とが整理され、すっきりした

大学院を修了した二年後、継続してきた研究を発展させる目的でイギリスのグラスゴー大学に留学しました。いまから二〇年も前の、三二歳の春でした。留学中の出来事が本書の目的ではないので、そのあたりの詳細は省きますが、帰国後に、二年半の留学体験を一編のエッセイ『英国で考えたこと　グラスゴー大学に留学して』としてまとめました。

この体験記が、ある出版社の目に留まり、「このような文章を他にも書いているなら、まとめて本にしませんか？」というような連絡がきたのです。

「まとめるも何も、書いたのはこの一本だけですけれど」と思いました。が、いま考えると、これは一種の営業であり、何の実績もない素人に本を出させるほど、出版業界は甘くはありません。もちろん自費出版です。それでも私は、「自分の書いた記述を本にしてくれるなら」と思って、そこから医療に関する四方山話を一気呵成に書き上げたのです。タイトルは、『医者になって十年目で思うこと　ある大学病院の医療現場から』としました。

帰国後、私は同じ大学病院において、医局長という立場で復帰しており、医療に関する課題というか、疑問を多く感じはじめていました。そのような内容を、すべてぶちまけたのです。結果、かなりすっきりした気持ちになり、考えが整理されたことを覚えています。

この書籍をきっかけに、私の〝自称エッセイスト〟としての道がスタートしたのでした。

どうして、いきなりエッセイを書けたのか　医者が抵抗なくはじめられる書き物

海外留学を決行すれば、当然、異国での生活となります。日記くらいはつけたくなるのが自然な発想というものでしょう。海外生活はエピソードが満載です。特にイギリスのスコットランドでは、ご飯がまずい、お茶ばかり飲んでいる、職員がいい加減、車のガラスを割られるなど、日本では想像できないことを体験しました。そんなことを書き留めていれば、結構知らない間にエピソードトーク的な話のクオリティは上がってきます。

また、大学院時代の研究指導医が、ものすごく厳しかったお蔭で、私は、医学論文の書き方というものを徹底的に学ばされてきました（いまとなっては、とても感謝しています）。ＰＣ（パソコン）に向かって書き物をすることが、すでに血肉化していたのです。

「だからいきなり書けました」と言うと何のアドバイスにもなりませんが、でもビジネスマンでしたら、プレゼン資料や研究発表など、とりあえず物事を活字化するという行為に対しては、ほとんど抵抗がないのではないかと思います。また一般職の人でも、昨今では、レターや報告書なんかも多いことでしょう。文章作成という点でいまの若者は、昔とは比べものにならないほど長（た）けています。

となれば加えるべきメソッドは〝読ませる技術〟ということになります。読者を楽しませるための自分オリジナルな視点を、いかに加えていくかなのです。

医学論文からエッセイ執筆へ　研究者としての寿命を縮めたが……

医学論文を量産するなかで、最初の著書をきっかけに、エッセイという書き物にも手を出してしまいました。医学論文では書けないことでも、エッセイなら自由に書けます。結局、書く幅の広がる医療エッセイの方が楽しくなってしまい、私は研究者としての寿命を縮めてしまいました（次項で、また詳しくお話しします）。が、それもまた一興でしょう。

酒に弱く、カラオケが下手で、グループ交際を得意とせず、スポーツが苦手で、本音を言うと人づき合いが面倒くさい私のストレス発散は、書くことでした。大学病院を辞め、アカデミックポジションを退くことで、いま私は、積極的に論文を書く必要がなくなりました。しかしながら、書きたいという衝動は途絶えることなく、この勤務地でも執筆を続けています。

まずもって、忘れないうちに初項でお伝えしたいエッセイの掟（おきて）は、すでに誰かが書いていることを書いては（本来）いけません。もし、誰かが書いている内容をもう一度指摘しておきたいのなら、そこに一目線（ひとめせん）、自分の考えを加えるべきです。

世間の常識をなぞってもいけません。もし、世間の常識をもう一度強調しておきたいのなら、その常識の裏返しとしての非常識を選択した場合に起こりえる、逆転の発想にも目を向けるべきです。

きれい事や正論だけを書いてはいけません。「戦争反対」、「貧困撲滅」、「不祥事根絶」と謳っても何も響きません。もし、きれい事や正論を掲げたいのなら、信憑性や説得性を示せるような専門家になるべきです。そのうえで書くべきです（いつになることやら）。

自分よがりな文章でもいけません。言われるまでもないと思いますが、本というのは、読み手側に能動性を求める、圧倒的に相手優位な媒体です。へりくだる必要はまったくありませんが、対等よりはいくぶん下手（したて）に出なければならないメディアなのです。

これらがエッセイの基本姿勢です。〝自由〟に書くのは〝自由〟ですが、読まれる前提で書く必要があります。すなわち他人を不快にさせず、なおかつ飽きさせず、さらには失笑もされず、要は、興味深くてためになる、そんな文章を書いていきたいですね。

まとめ

本書の冒頭では、私がエッセイを書くようになったきっかけについて、サワリ程度のお話をしました。

もっともらしい結論を言うと、**「文章化は、物事の理解からはじまるので、書くことが身につけば、考える力が増す」**ということです。ひいては**「文章化で自分自身を見つめ直すこ**

とができる」ということにもつながります。要は、考える癖がつくのです。

すでに述べたように、ブログやSNSなどで、自分のことを発信したいと願う人が増えてきました。そうした人たちのために、少しでも書くことへの気負いを軽減するためのノウハウを説いていければと思っています。この本を最後まで読み終えていただいた時点で、書くことへのハードルがさらに下がっているとお感じになられればよいのですが……。

大学追放、それでも執筆を続ける訳

初項では自己紹介を交えて、私が最初のエッセイを出版するまでの経緯についてお話ししました。また、〝エッセイの掟〟というようなことを、のっけから大上段に構えて言ってしまいました。

ここからは、書くことで得られる〝効用〟についてのお話をしていきたいのですが、必ずしもそうとは限らないという、私の経験から進めたいと思います。

エッセイを著してわかったこと　医療に対する問題意識を強く持つようになる

一冊目のエッセイを書いたのは、私が医者になって一〇年目でした。当時、大学病院の医局長を務めていた関係があり――つまり中間管理職まっただ中――、部下としての医局員の不満を聞き入れるのも、仕事のひとつでした。

医療の裏側や矛盾といった部分に気づきはじめたのもこの頃であり、医療者たちの叫びを外部に発信したいという願いが芽生えていたのです。上梓された後の感想は、書き上げたという充実感ではなく、「言ってやったぜ」という爽快感でした。私は書くことで、医療に対する問題意識をより強く持つようになったのです。

続けて著した『医者の三十代　後悔しない生き方とは』では、さらに大風呂敷を広げてしまいました。医者としてのキャリアアップ、サクセスへの街道を述べる一方で、大学批判なんかもエスカレートしていきました。

世の中の不条理や理不尽など、矛盾は医療界に留まらないという記述を加え、医者といえども、いや医者だからこそ、自己啓発や自己改革は欠かせないと説いたのです。反骨心を気取っていましたが、周囲――特に管理職の立場の人――から見れば、生意気な行動でした。そうなると、あまり良い方向には進みません。徐々に、大学からマークされはじめたのです。

執筆活動は諸刃の剣　真実を穿つ論説が原因で、大学を追われる

所属と名前とを実名で発信していれば、その内容によっては大学病院側から睨(にら)まれます。

当院でも発生した論文不正を、どちらかといえば擁護した論説（『論文捏造疑惑』http://medg.jp/mt/?p=1331）と、それに続く大学の医局問題を、どちらかといえば許容した私見（『医局撤退』http://medg.jp/mt/?p=1348）とにより、私は組織への忠誠を欠いたとみなされ、大学を追われることになったのです。現場の疑問を提起することは、管理者から見ればかなり不愉快なのでしょう。院外への出向を打診された時点で、私は大学病院でのキャリアを捨てました。

当たり障りのないことや、きれい事だけでは何の説得力もありません。そうかと言って、正論や精神論を無神経にぶつけても誰の心にも響きません。中身の薄さや底の浅さを悟られるくらいなら、真実を穿つような文章を書きたいと思った結果が、危険人物扱いでした。

言論の自由と称してエッセイを書く、その行為自体は、冒頭でも述べたように、自分の洞察力を高めてくれます。しかし、やり方次第では、いまの立場を危うくすることさえもあり得るということです。まさに、〝ペンは諸刃（もろは）の剣〟ということですね。でも、後悔はありません。書いていなければ、もっと塩漬けの医者人生を送っていたと思いますから。

それでも医者が書くことの意味　情報発信と未知の自分との出会い

繰り返しになりますが、医療エッセイを著す理由は、第一に、医療業を営む私の周りで起こる出来事の情報発信です（一般の方にもわかるように心がけています）。言い換えるなら、学術的でない部分の医療周辺状況を伝えるためです。たとえそれによって、立場に変化を生ずることがあったとしても。

第二に、考えを明文化することによって、新たな自分を発見することができるからです。そのために明かしておきたいひとつの考えは、実名にこだわるということです。気のせいかもしれませんが、筆名（ひつめい）にすると主張がブレるような気がして、私にとっては相応（ふさわ）しくないと考えています。

内科医の役割は、患者の訴えに耳を傾け、身体を診て、その悩みが何に起因しているのかを、内面から探ることです。

私にとって執筆は、多くの場合先に結論があって文章を書いているわけではなく、書きながら物事を考えています。筆を走らせつつ、浮かび上がる発見を期待しています。医療とエッセイ執筆とに共通する心的傾向は、探る・書くという作業を通して思考を深め、できるなら本質を見極めたいということなのです。

書くことによって周囲に迷惑をかけたり、疎ましく思われたり、危険視されたりすることは、本来ならば、あってはなりません。だから、テーマや表現の仕方に関しては注意が必要です。それでも伝えたいことがあれば伝えたいと願うのが、自己顕示と放言高論と、さらには承認欲求をもちながら執筆を続けている、医者の私です。波風のまったく立たない文章を書いていてもあまり意味はありません。自分の考えを、情理を尽くして、丁寧に説いていく作法を、いま以上に学んでいきたいものです。

まとめ

学術論文を書いていた頃は、「同系の研究者が読んでくれるだろうし、最悪、業績にさえなれば読まれなくても構わない」と思っていました。が、しかし、エッセイを書くようになってからは、多くの人に読んでもらいたいと、強く願うようになりました。そのためには、**読まれる、読みたくなるような文章を書かなければなりません。**

くどいほどの繰り返しになりますが、私にとってエッセイ執筆は、医者としての自分を見つめ直すためには欠くことのできない試みでした。もっと言うなら、進退を決めるにあたって必要な作業でした。そこまで大仰（おおぎょう）に考える必要はありませんが、文章を書いていくことには、「そういう価値と、場合によっては危うさもある」ということだけは伝えておきます。

一〇冊書籍化の医者が説く〝書く力〟

前項では、書くことが自分にとってどのような効用を生んできたのかをお話ししたかったのですが、執筆のデメリット――とは、思っていませんが――からはじめてしまいました。

それでも、書くという作業を繰り返していれば、思考が深まり、本質を見極める能力が身につき、新たな自分を発見するきっかけになるということは、ご理解いただけたのではないかと思います。勢いというのも、書くうえでは大切です。

本項は、私がいかにしてエッセイを書き続け、そのスキルを磨いてきたのかについて、お届けしたいと思います。

なぜエッセイなのか　型にはまった表現から解き放たれる快感がある

エッセイに限らないことですが、まずもって外部に発信したい情報をもち続けなければ、継続した執筆は行えません。研究者が研究者であり続けるには、新知見を学術論文として発表していくことが条件です。小説家がずっと小説家でいられる理由は、書き続けたい題材があって、そのクオリティを落とさない努力を続けているからです。

ですので、常に訴えたいテーマを、模索というか、追求し続ける姿勢が大切です。私の場合は、医療の現実や課題などを浮き彫りにしたいという思いからはじまり、やがて医学論文よりももっと自由な発想で物を書きたいと願うようになり、科学的根拠は少ないけれど――従って、アカデミックな分野の人からは相手にされませんが――、エッセイという形式に切り替えました。

そうすることによって、型にはまった記述法から解き放たれる快感を得ました。

レポートとも論文とも異なる技法を用いたエッセイの文章スタイルは、実写に基づく分析的、または説明的な文芸創作文です。書く内容としては、医療に限定するものではなく、私生活や社会活動に関する記録、個人の思想などなど……、その時々の心情で変化していきました。他の趣味ではなかなか感じにくい、特別な充実感というものを得ました。

自分の〝こころの内(うち)〟を活字化する作業の繰り返しですが、日々感じたことをないがしろにせず、エッセイ執筆という愉しみをもっと多くの人に味わってもらいたいと願っています。

そもそもなぜ書きたいのか　自分にしかない感覚・経験を多くの人と共有したい

書きたいモチーフがあれば書き続けられる、というものではけっしてありません。自分の文章だから書きたいように書く、解ってくれなくても別に構わない、意図が伝わるかどうかは読み手次第、という態度を取っている限りは、エッセイの執筆を長く続けることはできないと思います。自分にしかない独自の感覚を、多くの人に共有してもらいたいから書くわけで、それには、伝わる表現を用いなければなりません。

「これを言っておかないことにはどうにも寝覚めが悪い」とまではいかないにしても、「こんな経験は珍しいのではないか」、「こんな捉え方もできるのではないか」、「本当の理由はこんなところにあるのではないか」というようなことを、誠に僭越ながら、賛否両論はあるにせよ、不躾で厚かましいのを承知で、できうるならばわからせておきたいのです（←こういう回りくどい文は悪文ですが）。

確かに、私のような無名の医者の書くエッセイが、どこまで他人の心を揺さぶるかはまったく未知です。自己満足という側面がないわけでもありません。エッセイ関連の文学賞を受賞することも、（いまのところ）気配すらありません。でもだからこそ、書き続けたい、書く努力を怠りたくないと思っています。論の進め方が奔放で、独断と偏見に満ち、しかし言われてみればそう言えなくもないという文章を書ければ一人前ですね。

書くスキルをどのように磨いてきたのか　フィールドを拡大し、日々書く

依頼されたり、自ら寄稿したりなど、発表を前提として書くことで文章力は磨かれます。書く

ためのフィールドを広げる工夫を持ち続けることです。

ノルマ化しているわけではありませんが、私は日常的に文章を書いて保存しています。それらが溜まってくると、関連する項目ごとにまとめ直したり、時系列に並べ替えてみたり、話のつじつまが合うように何度も校正し、定期的に書籍化することを心がけています（書籍化に関しては、再度述べたいと思います）。たいして威張れることではありませんが、十数年間で一〇冊程度の書籍を世に出してきました。


ここで、書くスキルについて、ひとつの試みを紹介します。

書くという行動から得られる効用を分かち合ってほしくて、私は南相馬市に移住してからずっと、一般市民を対象に『エッセイ講座』を開講しています。言葉にするより文字に落とし込む作業の方が、自身の本質に近づけることが、ときとしてあります。内面の思いを外に表出することは、精神安定にもつながります。将来と折り合えない被災地の人たちにおいて、エッセイを記す行為が自己と向き合うきっかけになればと思って継続しています。

他人の文章を添削したり、校正したりすることによって、私は、さらに書くことへの興味が広がりました。

まとめ

たいした経験もないのに偉そうなことを述べてしまいました。前々項で「きれい事や正論をなぞってはいけない」と、口酸っぱく指摘しておきながら、舌の根も乾かぬうちに、それっぽいことを言ってしまいました。ただ、言い訳させてもらうなら、まさに書くことによって、改めて〝書く力〟のようなものを、自分に言い聞かせることができました。今回は、読ませるというよりは、自身の戒めのために書いたとご理解ください。こういう方便を説くのもエッセイの醍醐味です。

最後にもう一言、今度は誰かが言っていそうなことを、これまた懲りずに言っておきます。継続のために必要なエッセンスを一言で言うなら、**「日常の出来事から感じる心のざわめきを見過ごさないで、気に留めておく習慣を身につける」**ということに集約されます。さらには、連載を担うとか、依頼原稿には積極的に応えるとか、書ける場所を確保し続けることも、文章力を劣化させない大切な要因です。ある意味、強制力を受けながら書くということです。

きれい事や正論、他人の言っていそうなことのパクリなど、悪い見本になりかけたエッセイを、よく見せるための参考になればと願いつつ……。

『エッセイ講座』を開講し続けて

前項で『エッセイ講座』開講のきっかけについて、少し触れました。被災者支援というと大袈裟かもしれませんが、書くことで少しでも心が軽くなればと願って、二〇一二年の一〇月から毎月一回、一般市民を対象に行っています。そろそろ一〇〇回を数えます。

本項では、本講座について、より詳しくご紹介します。

開講当初　まずは書いてもらうことが大切

記念すべき第一回目の講座では、「私がこれまでにエッセイを思想的に記すことで、いかに心身ともに健康でいられるようになったか」という経緯を説きました。かつての私にとってのストレス解消の主たる行動は、飲酒でもカラオケでもなく、ましてや合コンやギャンブルでもなく、音楽を聴きながら机に向かって、ひたすら紙面（画面）に文字を書き（打ち）つけることでした。

続く、第二〜五回目までは、講座としての体裁を取り繕うために、書き方に関するノウハウのようなものを説明しました。その要点は、「エッセイは、自分の書きたいテーマを他人が読みたくなるように書く」ということと、「自分のなかで何かを感じたエピソードを覚えていて、同じ感情を持っていない人にわかるように話すつもりで書く」ということでした。

なんとなくの使命感に駆られてはじめたのはいいのですが、私自身、自由に書いてきただけで、正しく教えるノウハウはありませんでした。ですので、三〜四冊の〝エッセイの書き方〟なる書物を大慌てで読んで、そのエッセンスをお伝えすることしか、まずはできませんでした。

――その際の参考図書は、岸本葉子『エッセイ脳　800字から始まる文章読本』、加藤明『「もっと読みたい」と思わせる文章を書く』、山口文憲『読ませる技術　コラム・エッセイの王道』でした。

ただ、そんな能書きばかりを語っていても、あまり意味がありません。書き散らかしてきた自己流のエッセイ執筆法を繰り返し説明したところで、自分にとってはそれしかなかったかもしれませんが、他人にとって適切かどうかはわかりません。すでにエッセイを書いている人なら、ある程度は理解可能でしょうが、これから書こうとする人物にとってはあまり参考になりません。それよりも、「書くことによって震災のキズを解消しよう」という、そもそもの目的に準ずるならば、書き方の概説は最低限にして、何はともあれ実際に書かせてみることです。

こういうやり方で書かねばならぬという規範で縛るよりは、あるがままの自分に則った自由な発想で書かせ、まずは筆を執るハードルを下げることです。

第六回目からは、実際に書かせる講座へと移行させていきました。

講座に集う人々　必ずしも書くことに興味のある人ではない

『エッセイ講座』には、どのような人が集まってきたかというと、「それはもちろん、読書や文学好きの人……」、というわけではけっしてありませんでした。むしろ、本などほとんど読んでいない人が大半でした。

では、なぜ参加を希望したのか？　それは、「（宣伝用チラシに）〝自分を見つめ直せる〟と書かれていたから」という期待や、「本当に書くことで気持ちの整理がつくの？」という疑いからでした。書くことよりも、メンタルに問題を抱えていそうな人たちでした。ある程度こちらの意図した目的で集まってくれたのはよかったのですが、はじめは書くことにためらいのある人がほとんどでした。私は自身のエッセイを見せて、そのとき書いた心理状態やメンタリティーの変化などを説明していきました。

「何気ないことであったとしても、感じている想いを文章にしてみましょう」と繰り返し提案していくことで、少しずつ記憶を活字化する人たちが出てきました。それに従い徐々にではありますが、しかし確実に、文章の意義を理解する人も増えました。「参加して面白かった」と喜んでくれる人や、「次回も楽しみにしています」と期待してくれる人まで現れました。

何回かの経験を重ねるにつれて、書く内容にも磨きがかかってきました。遠慮がちであった心理描写に対して、深い省察(せいさつ)が加えられるようになり、そういう人は、自己表現の楽しみを少しずつ開花させているようでした。

発足当初は四、五人くらいの参加者でしたが、現在では、（毎回メンバーは替わりますが）多いときで一〇人以上に増えました。それにつれて熱心に文章力を身につけたいと願う人から、相変わらずおしゃべりだけを目当てに来る人まで、その目的は多様化していきました。

もちろん、どんな人が参加しても構いませんし、目的なんか何だっていいです。私は私で、それに合わせて、けっしてプレッシャーにならないように配慮しつつ、参加者全員が楽しめる空間を提供できるよう努めていきました。

参加者の反応　自分らしさを取り戻すきっかけ

あるとき精神障がい児を抱える母親の参加がありました。ハンディキャップを背負った息子を持つ母にとっての発散の場がなかったのです。「子どもに対する私の思いについて、何かを書き留めておきたい」という申し出でした。言い方は難しいですが、もちろんそれは、大変意義深いことです。まさに私と同じように、文章表現によって心と体とのバランスを保つことのできる人が現れてくれれば、それはそれで、私の、この取り組みも無駄にはなりません。

けっして強制はしないのですが、エッセイをしたためた人がいれば、そのテーマを選んだ背景や、書くなかでの心情の変化などを語ってもらいます。それに対して建設的な批評をしたり、感想を述べ合ったりします。シビアな内容も、つらかった出来事も、書いてしまえばいくらか気持ちは吹っ切れます。想いを皆で共有することによって、講座のなかは穏やかな空気に包まれます。「震災後ずっと悩んでいたけれど、やっと自分らしさを取り戻しました」と打ち明けてくださったり、「文章を書いていくことで何か踏ん切りがついて、平常が保てます」と安心していただいたりすると、続けてきてよかったと思うのです。ここでのこの活動には、まだまだニーズがあるようです。

何かを楽しむようになるには……、最初のうちは義務的であったとしても、徐々にそれが習慣的に、そして、進んでやりたくなるものです。

私が思うに人間というのは、別に正義や責任で生きているわけではなく、要するに、美味いものでも食べて、愉快とまではいかないにせよ楽しみながら生活したいと思っています。ただ、そのなかで少しだけ人の役に立つことであったり、尊いことであったり、知的であったり、そういう感覚を得ることが喜びだったりするのです。

小さいけれど確かな幸せを増やすことが、何か日々の糧のようなものにつながっていけば……、その一端を、書くことが担えれば、こんな素敵なことはないと考えています。

まとめ

「自分の未来と折り合えない被災地の人たちにおいても、エッセイを記すことが、自身と向き合うきっかけになればよいのではないか」という考えで講座をはじめました。

確かに書いたからといって、問題が根本的に解決するわけではありません。しかし、エッセイを書くことが習慣化していった結果、**少しでも冷静に考えられるようになったり、日常のちょっとした喜びを発見できたり、**そういった細やかな気づきが、**生活をわずかだけでも楽なものにしてくれる**のなら……、それはそれで、被災地での暮らしがいくぶん穏やかになるのではないでしょうか。

文章力向上に〝第三者の目〟

〝文章力〟の重要性が、以前にも増して注目されてきています。改めて指摘するまでもなく、ビジネスの世界をはじめ、教育現場や役所、あらゆる施設において、企画書や提案書、計画書に報告書、宣伝やプレゼン資料、論文やレポート、ブログやＳＮＳ、はたまたＬＩＮＥやＳｋｙｐｅなど、年がら年中、文章を書いていると言っても過言ではありません。

〝活字離れ〟どころか、〝活字塗(まみ)れ〟な世の中です。その結果、パブリックとプライベートにおいて、アナログ・デジタルを問わず、長文や短文を含めて、書くスキルを求められるようになりました。

自分の意見や考えを簡単に発信できる時代になったと言えば聞こえはいいですが、その一方で、誰もが言えるようになったからこそ、読まれる文章と、そうでない文章との違いも顕著になってきています。

本項では、エッセイを書くためのチャンスの広げ方についてお話ししたいと思います。

インターネットメディアに応募　第三者からのチェックを受けながら書き続けることが効果的

とにかく書くための場を作り、なおかつ、できれば他人からの添削を受けることです。日記やブログが悪いとは言いませんが、ただ書いていても文章力は身につきません。第三者からのチェックを受けながら書き続けることがもっとも効果的です。せっかく書いた文章が誰の目にも触れないのも残念ですので、なるべく公の場に掲載させる工夫を凝らすことも、合わせて重要なノウハウです。

忌憚（きたん）のない意見が欲しい場合は、文章添削（校正）サービスや、通信講座などを利用する手がありますが、有料です。であるならば、今回の書籍化のきっかけとなった『m3.com』ようなウェブ媒体のライターとして登録し、定期的にエッセイを発信させていただくというのが、実に有益です。

ネット社会ですから、そうしたライター募集はたくさんあります。実際、ウェブライターになること自体は、難しくはありません。文章を書いてほしいという仕事は、クラウドソーシングサイトなどを見ても数多くあります。はじめはキツすぎず、ユルすぎないプレッシャーのなかに身をおくことで、書くスキルを身につけてください。

書いた結果、何らかのレスポンスがあれば、書くモチベーションを維持できるという人もいるとは思いますが、私にとっては、〝つながりすぎないつながり〟、すなわち、〝ツッコまれすぎないツッコまれ感〟がちょうどいいと考えています。誹謗中傷を受けることで、書くことがストレスになってしまっては意味がありません。優良サイトと契約することも大切で、常に高みを目指して、インターネット媒体を利用していきましょう。

同人誌会に入会　文芸仲間とのコミュニティで技術を学ぶ

どんな地域にもあると思いますが、同人誌の会に入会するのもひとつの作戦です。私の住む南相馬市にも〝『海岸線』同人会〟という会が存在し、詩や俳句、短歌をはじめ、エッセイや旅行記などの文章を集めて、年に一回冊子を発刊しています。勇気をもって、そのような会に飛び込むことです。

医療だけしか知らない私のような人間にとって、文芸仲間とのコミュニティというのはなかなか得がたいものでした。定例会に出席すると、文学に対する参加者の熱意を感じることができます。国語教師や歴史家、元新聞記者など、セミプロ級の物書きが集っていてダメ出しを食らうこともありますが、校閲の技術を学べます。そうした経験を経ることで、文章をますます好きになります。

私には、俳句や短歌を吟ずることはできませんが、ジャンルは違えど、結局のところ成り立ちは同じだということに気づかされます。日常の一コマの「へぇー」や「ほぉー」を文章にするだけなのだそうです（文芸仲間が言っていました）。

特に俳句を詠む人の観察眼は鋭いものがあります。私が数千字をかけないと伝えられないことを、彼らはたった数文字で伝えるのですから。周囲に関心を示し、ささいな出来事を捉える姿勢は、表現者の共通性と言えます。書くことが趣味のような位置づけになれば、もう目指すところは近いです。

『エッセイ講座』からみた執筆動機　胸の内を知ってもらいたいに尽きる

再度、『エッセイ講座』からお伝えします。これまで多くの方にご参加いただきました。一回だけ受講して来なくなる人もたくさんいましたが、毎月一回、一〇〇回を数えるほどまで継続できた理由は、きわめて単純ですが、来る人が跡を絶たないからです（いまになって言いますが、無料です）。毎月、日付をすげ替えた同じチラシを図書館に貼っておくだけです。多ければ一〇人くらい、少ないと、私と二人のときもありましたが、誰もが、何かの想いを伝えたいという願いでやってきます。被災時の受難、子育ての憂慮、介護の苦悩、仕事でのストレスなどを訴えたいのです。

仕事として文章を書いている人は別ですが、素人の書く原動力は、実のところ自分の胸の内を知ってもらいたいということに尽きるようです。「誰かに伝えたいけれど、上手く伝えられない、どうしたらいい？」という気持ちをもっています。

そういう意味では、文章表現というのは、兼好法師のような閑人（かんじん）が、日がな一日を徒然なるままに綴るということではけっしてなく、必死で生きていたり、不安や悩みを抱えていたり、不運を背負っていたりする人が、どうにか言葉を紡ぎ出すのです。

もし、あなたの地元にこうした活動をしている執筆教室がありましたら、一度のぞいてみてはいかがですか。

まとめ

文芸も、企画書も、手紙も、論文も、相手が違うだけで、物事を届けるという意味ではすべて共通しています。すなわち、その方法に〝型〟があるだけです。何かを告げたいと欲すれば、語調や語感、トーンやテンポ、言い回しや言葉遣いを駆使して、どうにかして伝えたいと願うはずです。そうした技法を凝らすことで、なんとか相手に言葉を届ける。そうやって文学は発達してきたのではないでしょうか。

文章を書くための場は、探そうと思えばいくらでもあります。**もし、あなたが何かを表現したいと望むなら、臆さず飛び込むことです。**文字描写を通した外部と、ちょっとつながりのある生活というのも、また味わい深いものです。

自費出版から広がる、私にとっての医者の世界

文章を書く場として、ブログをはじめたり、メルマガに投稿したり、書くことで成り立つ副業や同人誌会に入会するなんていう方法もあるということを、前項で述べました。しかし、そのような媒体ではなく、「せっかくなら自分の文章を書籍化したい」と望む方もいらっしゃると思います。書籍にこだわるなら、最近の流行は自費出版です。

書籍化に関する具体的な進め方に関しては、最終章の最後にご紹介するつもりですが、本項では、これまで行ってきた出版化について、自分の経験を踏まえて説明したいと思います。

書籍化のスタートは自費出版

最初の出版の経緯は、すでにお話ししました。まれに偉業の達成によって、自伝や自己啓発本をいきなり商業ベースで企画される人はいますが、通常、素人がいきなり、商業出版で本を出せることはまずありません。

しかし、自費出版でしたら自分がお金を払って出版しますので、（一定水準を満たせば）確実

に本を制作してもらえます。もちろん、本が売れる保証はなく、赤字覚悟での出版です。誰も求めていない本を出すわけですから、正直言って自己満足です。書くことへのハードルの下がったいまの時代は、ますます自費出版が増えると言われています。

同人誌やネット上で小説や詩を書いてきた人、退職をきっかけに自分史を残しておきたい人、何かの研究成果を本という形で発表したい人、海外生活での変わった経験をエッセイで伝えたい人、自分のきらびやかな感性を文章に乗せて届けたい人（私は、そのクチです）などが、書店を経由することで、できるだけ多くの読者に会いたいと願うからです。

三冊の自費出版、そして出版社からのオファー

私の最初の作品『医者になって十年目で思うこと　ある大学病院の医療現場から』に関してですが、単行本サイズ（B6判）、モノクロ、三〇〇ページあまり、営業と委託配本あり（書店に置いてもらうための働きかけと実際の配本）で、費用は一五〇万円程度でした。初版一〇〇〇部くらいですとそれくらいの値段になります（これでも安い方だと言われました）。もちろん、けっして安い額ではありませんが、記念のつもりで制作しました。

装丁は出版社にお任せでしたが、ハードカバーできちんと製本され、自分の名前の刷り込まれた本を手にしたときは、やはり感慨深く、嬉しいものでした。

記念のつもりの自費出版でしたが、当時の医療問題や大学病院の課題についてをぶちまけたこ

とで、さらなる疑問が湧いてきたため、結局、矢継ぎ早に三冊のエッセイを刊行するに至りました。すべて自費出版でしたので、合計で四五〇万円、国産であれば、ある程度の高級車が買えますね。

このあたりで普通なら執筆を止めるところですが、私のエッセイに目を留めた、ある出版社から商業出版のオファーをいただいたのです。書けばタダで本にしてもらえるというのは、素人の物書きからしてみれば夢のようなお話です（そして、あわよくば印税が手に入る）。いつか芽が出る、いつか商業出版の本が出せると願っていた矢先のことでしたので、無条件で飛びつきました。

公私ともに絶好調、自称エッセイストを名乗る

依頼原稿、あるいは企画出版の作業は、どんなジャンルであろうと、たとえ一社であろうと、一定の信頼を得たという証です。この頃から、〝エッセイスト〟を名乗ることをはばからなくなりました。

大学病院時代のエピソードや考えを書き下ろし、医者になった動機、医者を続けられる条件、医者が大学を辞めた理由について、続けて『医者になってどうする！』、『医者を続けるということ』、『医者が大学を辞めるとき』の三冊を上梓してもらいました。

ひとつだけ強調させていただくならば、最初の作品の『医者になってどうする！』は増刷を重ねています。この本は医者になるためのハウツーを説いたものですが、受験本コーナーにも置かれたことから、医学部を目指す高校生や現役の医学生にも読んでもらえたのではないかと推測します。

大学病院において、助教から准教授までの階段を、途中海外留学を含めて一気に駆け上がったこの頃の私は、公私ともに調子に乗っていました。自分のやり方に間違いはないと思っていました。結果、執拗なまでのこだわりと、無自覚な偏見とにまみれたこれら三冊の〝大学病院シリーズ本〟は、だいぶ暑苦しいと感じますが、医者の一番いい時期を迎えた〝若気の至り記録〟であると、ポジティブに解釈していただければありがたいです。

読者からの生の意見が聞けるのは、書籍ならでは

書店やネット通販サイトに自分の本が並んだときは、理屈抜きに感動しました。一冊でも多く、〝レジに進む〟というボタンを通過することを夢見ていました。

エゴサーチによって、「現役医師が、医者の世界の厳しさと、素晴らしさとを伝える本。本音がずばずばと書かれていて、医者の世界のリアルな現実が伝わってくる……」というようなコメントや、「現在の医学部受験ブームに対して警鐘を鳴らそうという、著者の現実的かつ誠実な人

柄が読み取れる。耳に優しいことだけでなく、ずばり言うべきことは言う。こういった覚悟、本当の優しさを持った医師は少なからずいる。自分は、医師を一生の職業として選んで良かったと思っている……」というような投稿に出会ったときは、私の考えを前向きに捉えてくれる方もいるのだな、という実感が湧きました。

一部には、もちろん辛辣な意見もありました。

「筆者自身は文才があると思い込んでいるようで失笑です。極論を語っておきながら後半で否定するという、最高に読みにくい文章表現を駆使していますので、最後までイライラが収まりません。プロの編集者が、構成や文章を見直してから出版してほしかったです……」なる批判には、多少のショックを受けましたが、「まあ、そうだろうな」と素直に受け入れる気持ちもありました。いずれにせよ、読者からの生の意見を聞ける部分は、書籍化のいいところだと感じます。

震災後の福島で過ごした貴重な体験と出版活動

東日本大震災が発生したことをきっかけに、私は大学病院を辞めて福島県の市立病院に赴任しました。ここでも当たり前のようにエッセイをしたため、二年あまりを過ごした手記を、同じ出版社から『原発に一番近い病院』というタイトルで書籍化してもらいました。

この本の内容は、医療のみならず、被災地での支援活動や暮らしについても踏み込んだものでした。現場での出来事を支援者なりの立場で真剣に書きましたが、数多出版された震災本のなかの一冊としか認識されなかったようで、発行部数は伸びませんでした（それだけが理由ではありませんが、せめてもの虚勢）。

その後、精神科医で立教大学教授の香山リカさんとのご縁に恵まれ、共著で『ドクター小鷹、どうして南相馬に行ったんですか？』を出版させていただきました。

香山さんは、メンタルヘルスの支援で何度か南相馬市を訪れていました。南相馬市で彼女と知り合ったのがきっかけで、私は香山さんのメルマガのなかで往復書簡をはじめていたのですが、それを一冊にまとめました。香山さんといえば、多くの著書を有する、私の業界からすれば著名人です。貴重な経験をさせていただき、読ませる文章のコツを学びました。

被災地医師の生き方を伝えたい　自費出版を再開

ここまでは順調に商業出版を重ねることができましたが、その後、書籍化へのオファーはまったくなくなりました。文章力の足りなさもさることながら、震災のテーマでは注目を得ることが難しくなったのでしょう。それでも私は、雑誌や会報、定期刊行物への原稿依頼をいただく機会を得ることで、しつこく執筆を続けていました。そして、被災地で過ごす三年から五年くらいの経験をまとめていくなかで、やはり「本にしたい」という思いがフツフツと湧き上がってきました。

いつの世も、どこの場所でも、震災は起こります。マグニチュード七級の首都直下型地震が、三〇年以内に七〇%の確率で発生するとも囁かれています。

震災直後の深刻さや被害を最小限に食い止めるためのノウハウ、災害時に取るべき行動という言説も大切ですが、「県外から移住した医者の生き方というものも知らせておかなければならない。恐縮ながら、医療支援のモデルケースとして将来に備えていただきたい」という気持ちが芽生えてきたのです。

震災本ではなく、そうした〝生き方論〟を説いた書籍で広く読者を獲得したいという願いを込めて、再度、自費出版で本を出す決意をしました。その〝生き方本〟とも呼べる書籍が、『被災地で生き方を変えた医者の話』です。

まとめ

自費出版に対しては「もしかすると、ぼったくられるのではないか」と疑っている人もいるかもしれません。私の経験では、良心的に親身になって本を作ってくださる出版社も多く存在します（いや、むしろ、そういう出版社がほとんどです）。**自分の目で確認し、信頼できる出版社が見つかれば、書籍化について相談してみてもいいのではないかと思います。**

私ももちろん、再び商業出版のできる信頼を得たいと願っています。オファーをいただくには文学賞の受賞が近道かと思いますので、『日本エッセイスト・クラブ賞』なんてものに毎年応募しておりますが、箸にも棒にも引っかかりません。ですが、諦めたら終わりです。少しずつでも腕を磨いて参ります。

〝自分文章力良書〟をもて！

自分の書く文章の傾向、すなわち文体は、読んできた本に影響されます。ですので、知識を得るために読む本とは別に、文体を磨くための本を備え、何かにつけて繰り返し読む必要があると思っています。言い換えるなら、自分のセンスというか、語感の合う本です。そういう本に出会えるかどうかも、書く力を向上させるためには重要な要因となります。

繰り返しますが、文章力を上げるためには、知識として役立つ本だけではなく、自分の文体を構築していくうえで参考になる本、すなわち、〝自分文章力良書〟を見つけることが重要です。そしてそれを、徹底的に何度でも読み返すことです。ちなみに又吉直樹さんは、『人間失格』を一〇〇回くらいは読んでいるそうです。

執筆の参考にしてきた四人の文筆家

村上春樹さん、田口ランディさん、内田樹さん、池田晶子さん――、この四人の文筆家は、私が〝自分文書力良書〟に指定した作品を執筆した尊敬すべき方々です。それぞれ、専門が異なります。

村上春樹さんに関しては、説明するまでもありません。誰もが知るベストセラー作家です。

田口ランディさんも、独自の切り口を持つ小説家・エッセイストです。

内田樹さんは、作家というより、執筆の上手な思想家と言った方がいいかもしれません。専門はフランス現代思想、武道論、教育論です。

池田晶子さんは哲学者です。専門用語や難解な言葉を使わず、日常の平易な言葉で哲学を表現していました。残念ながら腎臓癌のために四六歳の若さで逝去されました。

以上の四人が、私の文体になんらかの影響を与えてくれた方々です。彼らの本の内容として、もちろん〝面白い〟が前提にありますが、それよりも表現方法、もっと言うならワンセンテンスの魅力というものが、私の感性にハマりました。この四人のエッセイに関しては、多いもので一冊につき一〇回は読んでいます。

では、私の文章に対して、どういう点で影響を与えたのかを述べたいと思います。

一 村上春樹

村上春樹さんの小説は、実は一冊も読んだことがありません。これは、私が大学一年のときに、ただただ流行(はや)っているからという理由だけで読んだ『ノルウェイの森』をとてもつまらなく感じ、それがトラウマになっているからです。

エッセイは〝超〟がつくほど〝激オモ〟なのに、小説に再チャレンジしてやはり面白いと感じなかったら、自分は村上文学を理解できなかったということになってしまいます。それが怖くて手を出せなくなってしまいました。

ただ、エッセイの面白さは群を抜いています。『職業としての小説家』と『走ることについて語るときに僕の語ること』が、特に秀逸です。

「三五年間にわたって小説家として小説を書き続けている状況」と、「走るという行為を媒体にして、どのように生きてきたのか」ということを説明している内容なのですが、こういうひとつのテーマをあらゆる角度から、手を替え品を替え、ひたすら語ることのできる作家に憧れます。

村上さんは、エッセイのあとがきで「人々を前にして語りかけるような文体で書いてみると、わりにすらすらと素直に書ける（しゃべれる）感触があった」と述べています（『職業としての小説家』、スイッチ・パブリッシング）。語り口調的な文体の私のエッセイは、ここから影響されたのではないかと感じています。

二　田口ランディ

田口ランディさんのエッセイのなかには、『ヒロシマ、ナガサキ、フクシマ　原子力を受け入れた日本』や『サンカーラ　この世の断片をたぐり寄せて』のように、原子力災害を受けた現地のドキュメントがあります。そういう場所を訪れて得られた彼女なりの思想や信条に、胸が熱くなりました。これをきっかけに彼女のエッセイを読みはじめましたが、日常をさらけ出しているところに、さらにシンパシーを感じました。

二〇代の頃、アルコール依存症の父と、ひきこもりの兄がいて、「いざこざを起こしては警察から呼び出しがあり、この疎ましい、迷惑な家族さえいなければ、私はもっと楽しく生きていけるのに、どうして私の家族は私を苦しめるような事ばかりするんだろう」と感じたことまで打ち明けています（田口ランディnote「ヌー！ nous」2018年6月21日より）。

彼女のエッセイには、「どう生きたらよいのか」というテーマが根底にあり、さまよい、ためらい続けている姿が伝わってきます。エッセイ執筆に必要な、自己の切り売りのようなものに対する覚悟を学びました。

三　内田　樹

「変わったものの捉え方をする人だな」というのが第一印象でした。考察することの深みを感じさせてくれる人だと。情報の処理能力に長けていて、持論の展開が上手です。妙な言い方をするなら〝カリスマ性〟のある書き手というか……。読んでいてどんどん引き込まれました。そうして私は、彼のほとんどの本を手にしています。エッセイストに必要な、物事をいったん俯瞰的、懐疑的に眺め、斜め、あるいは裏から見てみるというスタンスの重要性を教えてくれました。

ただ、確かに軽妙洒脱（けいみょうしゃだつ）で、リズムも心地よく、わかりやすい筋書きで論を進めているのですが、途中どうも十把一絡げ（じっぱひとからげ）的な論理的思考や、我田引水、どうとでも言える疑似科学的な放言が気になってしまうこともあります。だとしても、物事を順序立てて、論理的に情理を尽くして語っていくと、暴論と思われる思想だとしても、人は納得してしまうこともあるのだと感じました（さすがと言うべき論考で、私のなかではすごく褒めているので、悪しからず）。

私の文章で時々みられる、四字熟語を交えた長文で、理論的な説明を加えてはいるが、実は浅識で、一見過激だけれど当たり障りのない意見を、さも得意げに針小棒大に展開している内容は、彼の影響なのかもしれません（↑まさに、私のこういう文体のことです）。

四　池田晶子

何年も前のことですが、ある報道番組において、「考えること以外に、人生そんなにすることがない」という池田さんの言葉に度肝を抜かれました。考える以外にすることがない……!? いや、あるでしょう。遊びたいし、美味しいものを食べたいし、寝転んでいたいし、現実逃避だってしたい。これが、彼女の本を読むきっかけでした。
「癌だから死ぬのではない。生まれたから死ぬのである」（『人間自身　考えることに終わりなく』新潮社）
「科学は絶対ではない。科学は経験を拠り所とした、どこまでも仮説である」（『知ることより考えること』新潮社）
「してはいけないからしない、これは道徳であり、したくないからしない、これが倫理である」（『考える日々』毎日新聞社）
「脳死の人を死んでいると言い張るのと、ミイラを生きていると言い張るのとは、じつは五十歩

百歩なのだということに、世の人はほとんど気づいていない」（『あたりまえなことばかり』トランスビュー）

「この世の中には、調べることでわかることと、考えなければわからないことの二種類の事柄がある。総理の犯罪や科学技術の最前線などは、調べることでわかることだ。これに対して、では善悪とは何か、そも科学とは何をしているものなのか、こういったことは、考えなければわからない種類の事柄である」（『考える日々 Ⅲ』毎日新聞社）などなど、しびれるようなフレーズで埋め尽くされている彼女の本に、私は一発で虜(とりこ)になりました。

「シニカル」、「斜に構えた」と言えば語弊がありますが、物事の本質を捉えてからゆっくり語り出すというのが、彼女の表現方法なのかもしれません。

ただ、人間の根源は考えることかもしれませんが、考えた結果をアウトプットすることも大切ではないでしょうか。考えた結果を行動に移し、書くことによってさらに楽しみへと昇華させてもよかったのではないでしょうか。考えて書くことが目的ではなく、楽しむための手段であってほしかった（きっと「考えることが、極上の楽しみだった」と言うのでしょうけれども）。池田さんのご冥福をいつまでもお祈りしています。

まとめ

私のエッセイにおける文体には、これら四人の文筆家の癖が統合されています。自分の感性に合う本に出会うことは滅多にありませんが、乱読を繰り返すうちにたまたま遭遇すると、水脈を探り当てたかのように嬉しくなります。これで数カ月、この人の本に浸れるという感慨を得ます。

それは少しの幸せですが、でも確実に人生を豊かにしてくれます。知識のために読む本も大切ですが、**文章を書き、その文体を磨くために読む本というのも、また違った意味で価値のある読書となります。**まさに自分だけの〝自分文章力良書〟に巡り会いたいがために、私は文章を書き続けているのかもしれません。

第二章

書くこととは?

書くことで身につくものとは？

前章では、書いてきた経緯と、書くことの効用とについて、いろいろな意見を述べてきました。本章では、「書くこととは？」という問いを立てることで、さらなる深みへいざなおうとしています。

「書くのはわかった、書き続けるのが大変なのだ」と思っていることでしょう。もちろん、理解しています。「書くこととは？」に対する答えを探し続けることが、すなわち書き続けるということなのだと思っています。

そこで手はじめとして、最近感じている「書くことで身につく考え方」に対するとりあえずの答えを述べたいと思います。

具体的でクリアな話をできるようになる

書くことによる魅力、もしくは実効性を感じなければ、わざわざ書き続けようという気になれないと思います。

わかりやすい話からさせてもらうと、書くことによって得られる実践的なアウトプットは、具体的な話をクリアにできるようになるということです。淀みなく自分の考えを語ることができて、ともすると、頼もしい人間として見てもらえます。

先日、男女二人ずつ、計四人で食事をしました。男性のひとりは、神経内科志望の二年時研修医（すなわち、私の部下的存在になる予定）、女性のひとりは、尊敬するスーパー脳外科女医、女性のもうひとりは、これまたお世話になっているちょっときれいで大変有能な社会福祉士、それと私の四人です。夜の食事会や飲み会にほとんど参加しない私ですので、数少ない貴重な機会でした（メンバー構成を考えれば、この食事会がいかに大切なものかわかると思います）。とは言ってもただの食事会ですから、会話の最初は他愛のないものでした。異性の好みや同僚の人物査定を交えつつの、日頃の診療やプライベートな趣味、余暇の過ごし方などの話題が中心でした。

やがて、将来の展望や診療における自分なりのこだわり、ひいては自身の振る舞いを支えている行動原理などの質問になりました。

そこで私の返答ですが、まず将来について、診療はそこそこやるとしても、馬の世話をしながら、災害の少ない札幌市に移住して伸び伸び暮らしたい旨を伝え、現在の診療では、難病を扱うことが多いので、患者に対しては、あくまで失望させず、それでいて過度な期待を抱かせず、でもいざとなったら寄り添う姿勢を心がけていると話し、自分の行動原理は、「なるべく楽しいことをする」と「なるべくストレスを避ける」の二つであり、どちらか迷った場合には、人の役に立てる方を選択するということを、より噛み砕いて、もっと理論的に、誰もが理解可能なように、淀みなく話しました（文章は、クリアでないですね）。

話の顚末を誤ると偏屈に見られなくもありませんが、私は日頃、ためらいつつも、こういうことを考えながら、ときに表記しながら生活しているので、とっさの問いかけに対しても単刀直入に答えることができるのです。

たいしたことを言っているわけでは、けっしてありませんが、「普段考えていて、なおかつ文章化したことのある質問に対しては、とてもクリアに答えることができる」という喩えです。こうした私の瞭然たる言い回しには、周りの人たちの反応も良好で、いいコミュニケーションが図れます。

書くことによって考えが整理され、想いが具体的になり、伝えたいことを伝えられるようになります。要は、話す力、伝える力が鍛えられるということです（お蔭をもちまして、同メンバーでの食事会は、その後二回行われており、三回目も企画中です）。

曖昧な感覚を明確化できる

想像できると思いますが、文章化には、曖昧な感覚を明確にする機能があります。ぼんやり考えていたことに理論を加えることができるからです。

たとえば、「考えが整理できない」と言っている人を、最近よく見かけるようになりました。災害や痛ましい事故なんかの後に、そう発言をする人がいます。「神妙な顔つきをしているにもかかわらず〝整理できない〟と言っているが、いったいどういうことだろう？」と、その言葉にモヤモヤした違和感を覚えていました。

理由を考えても、頭のなかで推論しただけではなかなか答えを導けません。そういうときは、ひとつひとつ自分の思っていることを言語化して、それに形や意味を与えていくのです。

〝整理できない〟と言っているが、それは、答えを導けないことと同じだ――整理できないなら、整理してから発言してほしいし、もっと言うと、整理できないなら黙っていてほしい――確かに世の中が複雑になりすぎて、すべての疑問や課題に対して迅速に答えることはできないだろう。それはわかる――それでも、その場にいるなら一定の見解を示すべきだ――一種、逃げの口実のようだ……。

そんな思考を巡らせることによって、私は、「〝整理できない〟と言っていれば、たとえ答えを導けずとも、もっともらしいことを考えているフリができる」という、その怠慢さと傲慢(ごうまん)さに苛(いら)

立って(だ)いただけだということがわかりました。

さらにもうひとつ。

勝負事における大事な一番なのに、「楽しんできます」と言う輩(やから)がいます。これまた、「何様のつもり」と言われるかもしれませんが、あれもどうかと思っていました。

「自信がないから、せめて楽しむだけ楽しんでこようと考えているのか——すでに勝負に負けているではないか」と。

よくよく考えてみると、実は、そうやって勝負前の緊張を解いていることがわかりました。けっして勝ちを捨てているわけではない、むしろ、そう言わしめるほど自信があるのだということを。

ちょっと話が脱線してしまいました。例を挙げるとキリがありませんが、自分のなかにあった曖昧な違和感を、書くプロセスによって浮き彫りにすることができました。書くことで、自分のなかのぼんやりとしたモヤモヤを明確化したわけです。まさにこういうことこそが書くことで身につく効用であり、とても重要な発見へとつながります。

何が楽しくて書くのか？

人目に触れないところで自分の気持ちを綴り、己の考えや感じたことを書き留める行為には、心を鎮める効果があります。それと同時に、書くという作業は単独行動ですので、孤独を味わうことができます（〝孤独〟に関しては、後ほどもう少し詳しくお話しするつもりです）。

私にとっての最大の意義と言ってもいい効用は、まさにこういうところにあります（たくさんの効用を示していますので、すでにどれが一番なのか、わからなくなっていますが）。

「書いていて何が楽しいの？」という質問を、たまに受けることがあります。

書くメリットをいくつも語ってきましたが、確かに改めて〝楽しみ〟という観点から考えてみると、書く行為自体は、それほど愉快な作業ではありません。食べたり飲んだり、観たり聴いたり、しゃべったり歌ったりする方が楽しいかもしれません。

しいて言うなら、書くこと以前に、いまの自分は本が好きです。そして、本好きの人も好きです。さらに言うなら、本好きの人の振る舞いも好きです。本好きの人は、えてして非社交的かもしれませんが、他人に頼らない強さを持っているような気がします。群れない潔さと、孤独を楽しむ能力（個性）とを備えているようで、いざというとき意見を聞いてみたくなります。

〝書いていること〟を〝読んでいる人〟に伝えると、〝書いている在り方〟に対して〝読んでいる立場〟から意見をもらえます。必ずもらえます。

何を考えているかわからないが故に意外性のある行動を取りそうな、本好きの人とつき合うのが割と楽しいので、「そういうところが楽しいです」と答えると、たいていの人は怪訝そうな顔をして去っていきます。

まとめ

書くことで身につくものはさまざまだと思いますが、私にとっては、「自分が迫ってくる感覚」とでも言いましょうか。とことん、自分の内面と対峙できるというか、〝個〟の確立ができるというか、そういうことです。

ただ、よくよく考えてみると、書く行為そのものもそうですが、**そこからつながる人間関係ですとか、学びや気づきですとか、ひいては生き方のようなところまで含めて、有意義な生活のためのひとつの選択肢**になるのではないかと思っているのです。

書くことでかえってストレスフルな生活をしいられたり、思い悩んでしまったりしては意味がありません。ですので、そこはまたいろいろと、ゆっくり紐解いていきたいと思います。

情報発信に〝鈍感力〟が必要な訳

大学病院を追われることにはなったものの、「書くためには、インターネット媒体をどんどん利用しましょう」という提案を、前章でしました。

しかしながら、情報のプロでない人間が気軽に発言すると、「情報の裏が取れていない」、「信憑性が低い」、「情報が整理されていない」などの弊害が発生します。もっと言うなら、匿名で誹謗中傷を受けることもあります。

当たり前ですが、発言した以上は、自分の言葉に責任があります。かつて私は、『放射線についてはじめて語る人間だから言えること』というタイトルで、原発事故に対する私見を投稿しました（https://jbpress.ismedia.jp/articles/-/42088：有料会員登録サイトですので悪しからず）。放射線災害によって避難を余儀なくされた南相馬市住民の心情を綴ったつもりでしたが、不特定多数の方から「自業自得」、「周りに迷惑をかけるな」、「勉強不足」などの意見が寄せられました。

そこで本項では、批判や反対意見に対し、私がどのように対応しているか、経験をもとに紹介します。また批判的な意見があっても書き続ける原動力は一体どこにあるのか、その〝プラス面〟についてもお話ししたいと思います。

エッセイストには〝鈍感力〟が必要　情報発信に伴う批判

インターネットの弊害として、読者の皆さんがもっとも心配されているのは、冒頭でも示したように、余計な批判を受けるのではないかということかもしれません。

私の事例にある通り、その可能性はあります。ただ批判されることがあるとしたら、それは、近い分野で活動する反対論者からの異見です。冒頭の『放射線について……』に関する論述では、私見であることを明確化したにもかかわらず、過度に反応する方がおられました。妄信的な原発反対論者からです。

物書きのなかには、面倒な人がいます。文章化して思考を深めていくと、自分の想いが確立していきます。「これだけ考えてたどり着いた結果なのだから……」なんてことを強く思ってしまうと、結構厄介です。主張が確信に、やがて執着へと進展します。執着は、ときに偏執へと様変わりします。

また、将来への不安に警鐘を鳴らす有識者も、意外とタチが悪いです。なぜなら、自説の正当性を証明する唯一の手段は、〝その不安的中〟をおいて他にないからです。知らず知らずのうちに、世の中を心配事で煽り、不運を望み、他人に対して高圧的になるのです。

ですから、不特定多数の、特に匿名での批難は取るに足りません。対抗しても疲れるだけです。エッセイストには、〝選択できる鈍感力〟が必要です。

少しだけ耳を傾けなければならない相手は、同じ組織の人間からの反論です。平たく言えば、知り合いからの批判です。SNSで傷つくのは、仲間と思っていた人間からの攻撃というか、嫌がらせです。そういうのは、こう言っては語弊がありますが、書いている内容に問題があるわけではなく、人間関係の問題です。いずれにせよ、相手が特定できて、必要性があれば――必要ないことの方が多いかもしれませんが――、人間関係を修復させるに限ります。

批判される前の心構え　それは〝黙殺〟に耐えること

批判されることよりも、実はもっと深刻な問題に対して、エッセイストは心構えが必要です。想像できると思いますが、それは、むしろ読まれないこと。すなわち〝黙殺〟に耐えることから執筆活動ははじまるということです。

書くことを奨めておいて言うのも何ですが、書いても反響なんてものはほとんどありません。プロの書き手でも苦労しているのですから、私を含めて、素人が何かを書けばレスポンスを得られるという甘い世界ではありません。本質を突けば高評価が得られるとも限りません。むしろ、正論であればあるほど、正義であればあるほど、鬱陶（うっとう）しがられます。

エッセイの醍醐味は、世の中や他人との〝ズレ〟なのです。極論を言うなら、世の中の常識・

正義・正論から逸脱した行為や、他人と違った生き方なのです。すごく真面目に〝正しいこと〟を語っている文章を見ると、解釈はしやすくとも、説得はされません。正義や正論は、一定の為政者や有識者からの発言に任せて、私としては、世の中が悪くなっていかなければ、それで十分です。

社会的影響力ゼロの人間のはじめることですから、努々（ゆめゆめ）勘違いしてはいけません。それは、エッセイ一〇冊を手がけても、所詮この程度の認知度という自分が証明しています。

好意的な意見をもらえるのはほとんど奇跡だが　執筆のプラス面とは

最近は、どんな業界でも〝鈍感力〟が必要になってきているのかもしれません。〝コンプライアンス〟という言葉が、いつも聞こえてくる世の中になりました。せめて表現に関しては自由でいたいと願うのですが、その自由と引き換えに過度な責任を押しつけられます。これもひとつの時代なのかもしれません。

いまのところ私は、有名でもなんでもありませんので噛みつく人はいません。そういううちが華なのかもしれませんので、思うところをなるべく自由に書いていきたいと思います。

読み切れないほどの書籍や雑誌、数え切れないほどの情報番組が溢れるなかで、私の文章に出会われ、立ち読みをしてくれるだけでも十分ありがたいですが……、その本がレジを通過し、家でじっくり読んでくれて、（好意的な）意見までいただけるというのは、ほとんど奇跡に近い。そういうありがたい読者が一人でもいれば、書くモチベーションは維持できます。

書くという行為の対価はそういうことでしか得られませんから、結局のところ、そうした経験を得られるまで書き続けているのです。

まとめ

書くことでの効用よりも、弊害の方が多いような印象を与えてしまったでしょうか。「それならなぜ書くの？」と思われたかもしれません。

「自分の考えを、不特定多数の人に向けることで、どんな反応を得られるのか」、正直に言うと、それも楽しみで書いている部分はあります。どんな批判でも、ないよりはマシかもしれません。

〝非難を受けること〟と〝黙殺されること〟とのダメージは相反（あいはん）しますが、〝鈍感力〟、もしくは〝無頓着力〟は、その両方に対する唯一無二（ゆいいつむに）の防衛手段です。

執筆に向く人の五つの傾向

前項では、批判や反対意見に対する考え方について述べましたが、そういうことを明かすと、「自分は、果たして物書きに向いているだろうか？」という不安を覚える人がいるかもしれません。

医者が物書きとしてやっていく場合、本業で生計を立てられますので、気軽に執筆活動を続けられるメリットがあります。しかし、中途半端な気持ちで本など書けるはずがないというのも真実です。背水の陣をしいて――すなわち、医者を辞めて――物書きに転向した人たちもいるにはいますが、大きな決断だったと推察します。そういう人は、揺るぎない信念、確固たる自信、強靱な意志の持ち主なのかもしれません。

物書きを本業にするにしても、医療の傍らで執筆活動を行うにしても、ものを書くには、ある程度の適性が必要だと感じています。物書きに向く人の特徴を五つにまとめましたので、どうぞご覧ください。

その一　自分を大切にできる時間をもてる人

私が性懲（しょうこ）りもなく物書きでいる理由は、再三述べてきたように、書くメリットに気づいたとか、書きたい欲求が尽きないとか、活字のマニアだとか、そういう要素もありますが、冷静に考えると、書く時間があるからです。

スーパー・ドクターやディトレーダーやアプリケーション・エンジニアやソリューション・アーキテクトやデータ・サイエンティストなる人たちは、徒然なるままにエッセイなんかをしたためてはいられません（ヨコ文字の職種の人は忙しいのではないかという偏見）。

私のように、朝は馬とたわむれ、夕方はジョギングで汗を流し、週末は登山に出かけ、日がな一日を寝転んで読書三昧という医者だからできるのです。

とどのつまり、物思いに耽（ふけ）っていられる暇があるから書けるのです。裏を返せば、なにかしらを平気で犠牲にできて、自分を大切にする時間を確保できる人、自分のために時間を確保することを厭（いと）わない人が、物書きには向いています。

「ペルソナが」とか、「アジャイルで」とか、「ナーチャリングも」とか、「スケーラブルな」とか言っている業界の人に、物書きは向きません。

その二　生産性のないことに面白さを見つけられる人

物書きに向いているのは、生産性のないことに打ち込める人です。

前項でも示したように、素人がいくらエッセイを書いたからといって、読まれるとは限りません。むしろ、読まれない文章をいつまでも書き続けられる、ある意味、無頓着でお構いなしの性格が必要です。

もう少し言うなら、穴を掘っては埋める、レンガを積んでは崩す、雄鶏と雌鶏とを分けては交ぜるというような〝生産性のない仕事の生産性を上げる工夫のできる人〟が、物書きでいられます。エッセイストには、日常のちょっとした出来事を不思議と感じたり、大衆的な考えに対して変わった捉え方のできる視点があったり、つまり日々の些細（ささい）な事象にも興味を持てる感性が必要です。

生産性のないような作業に小さなありがたみを見いだし、最大限のアウトプットを引き出せる人が、物書きに向いていると言えるでしょう。

その三　自分を解放できる人

エッセイとは、日常の一コマを切り取り、他人とは異なる視点から洞察を加えることによって、ちょっと楽しんでもらうための文章です。基本的に、フィクションや架空の出来事、嘘は書きません。自分の経験や知識、ときに失敗談や恥ずかしい過去を打ち明けることもあります。ですので、エッセイを書くには自己の切り売りが必要です。優れたエッセイには、赤裸々とまではいかないにしても、リアルさがにじみ出ています。著者からしてみれば、少し恥ずかしいことも書かれています。

ぶっちゃけられる性格というか、自分をいい意味で解放できる人が、物書きには向いています。高橋源一郎さんも、『デビュー作を書くための超「小説」教室』（河出書房新社）の自著のなかで、「書くということの中には、必ず自分を書くということが含まれる。自分について書いているから恥ずかしいのではなく、人に言わずに過ごしてもいいことを、わざわざ書いてしまうから恥ずかしいのです」と語っています。

物書きにとっては、書く行為につきまとう〝恥じらいを意識する〟ことが大切なのだそうです。

その四　書物の内容よりもワンフレーズを味わえる人

読書好きな人が物書きに向いているというのは言わずもがなですが、読解力や本の内容の良し悪しを判断できるスキルよりも、私は、ワンフレーズを味わえるセンスの方が、物書きには大切だと感じています。

優れた書物には往々にして、色めき立つような描写や、詳細を詰めるつまびらかな表現や、からくりを明かすような巧妙な言い回しや、〝言い得て妙〟的な喩えようのない形容に溢れています。

例を挙げていきましょう。

・「恥の多い生涯を送って来ました。自分には、人間の生活というものが、見当つかないのです」（『人間失格』／太宰治、角川文庫）

・「香を嗅ぎ得るのは香を焚き出した瞬間に限る如く、酒を味わうのは酒を飲み始めた刹那に有る如く、恋の衝動にもこういう際どい一点が時間の上に存在しているとしか思われないのです」（『こころ』／夏目漱石、新潮文庫）

・「夜があけて、朝がやってきて、すみずみにまで行きとどいている空の青さをみながら、目には映らないけれど、三束さんに教えてもらったそこにあるはずの無数の光のことを思い、仕事をし、そうしているうちに薄暮がおとずれ、毎日は何度でも夜になった」（『すべて真夜中の恋人たち』／川上未映子、講談社）

・「思い出は口から出て外気にふれたとたんに変質してしまう。真空状態にとじこめてなんとか色を保っていたバラの花びらを外に出したときのように、みるみる茶色にしおれてしまう」（『勝手にふるえてろ』／綿矢りさ、文藝春秋）

いずれも艶（なま）めかしい表現ですね。

「この本はこういう趣旨の本で、ボクにとっては、こういう論考が役に立った」と感じる人よりは、「この本の、この部分の描写がこう表現されていて、ここに強い感動を覚えたよね」と感じられる人の方が、物書きには向いていると思います。

その五　頭の切れのよくない人

執筆を続けるというのは、どうひいき目に見ても、どんな強弁を振るおうとも、あまり賢い行為ではありません。頭の切れのよい人は、自分の想いを瞬時に言語化して説得できたり、効率化を図って段取りよく進めたり、機転を利かせて爽やかに対応したり、優先順位を考えてメリハリよく仕事ができたりします。

執筆とは、その対極にあるような行為です。自分の想いを何度もこねくり回しては書き直し、非効率的な手法を取るから手間がかかり、機転とは名ばかりのひねくれたものの見方をしがちで、優先順位とはほど遠いダラダラした〝ながら執筆〟をしています。

村上春樹さんも、『職業としての小説家』のなかで、「小説を書くというのは、あまり頭の切れる人に向いた作業ではない」と断じています。「小説家とは、不必要なことをあえて必要とする人種である」と定義し、「頭の回転の速い人や聡明な人には、小説を書くような辛気くさくて鈍くさくて効率の悪い作業には向かない」と述べています。

頭があまりにも切れ過ぎるよりは、のんびり屋で、マイペースで、要領が悪いくらいの性格がちょうどいいのです。

まとめ

個人的な偏見ではありましたが、物書きに向く人について分析しました（けっしてＩＴ系の人を蔑視しているわけではありません）。

もしかすると、「オレはそんな性格ではないけれど、文章を書いていています」という人がいたかもしれません。そのような人はきっと、頭が切れて、物事の理解力に長け、効率的に仕事ができて、人脈も豊富で、そのうえ文才のある方なのだと推測します。その文章は、分析が半端なく、科学的根拠も明確で、有益な情報を含み、示唆に富む内容でしょう。しかし、なかには、「役には立ったけれどどことなく他人事」、「なんとなくマニュアル的」、「温かみが足りない気がする」と感じる読者もいるのではないでしょうか（やはり、ＩＴ系を妬んでいますね）。

私は、揺るぎない信念と確固たる自信、そして、強靱な意志の持ち主ではないので、**コソッと笑える、血の通った、ためらいはあるけれど読みやすい文章を書けるよう精進して参ります。**

書くことの相反性

小説家にしろ、エッセイストにしろ、それだけで身を立てるというのはなかなか大変なことだと思います。

書くことがどのくらい大変かと問われると、「フルマラソンに出るよりはキツいけれど、一週間連続でラーメンを食べるよりはラク」、「電気を止められるよりはキツいけれど、毎朝四〇分かけて水くみに行くよりはラク」、「鍾乳洞のなかに一人で残されるよりはキツいけれど、ディズニーランドで独りで動き回るよりはラク」、そんなところです。

そう考えると、まあまあキツいことはキツいですし、それほどでもないと言えばそうなります。ではなぜ書くのかというと、いま打ち明けたように、「○○しているよりは、書いていた方がまだマシ」という考えもあるような気がします。

本項では、書くことによる相反性(そうはん)について述べたいと思います。

誰でもできるけれど、誰もやらないもの

「昼寝をして、暇を持て余しているよりは、書いていた方がまだいい」というのはわかっていただけると思いますが、フルマラソンよりもキツいというのは理解できないかもしれません。また、ぼっちでディズニーランドに行くよりもキツいというのはわかると思いますが、電気を止められるよりラクというのも、いまいちピンとこないと思います。

また、私の場合、乗馬やジョギング、山登り、クラシックコンサート、漫画喫茶、昔のアニメ鑑賞、甲冑武具のオークションでしたら、書くよりそちらの方を優先しますが、宴会やカラオケ、パーティーよりは書いていた方がいいし、合コンだったとしても、メンツによっては書く方がギリいいということもあります。要するに、他にさまざまあるなかで、少しだけ書くことの楽しみが大きいということです。趣味というのはそういうもので、個人の価値観でしょう。

ただ、書くことの優先順位がグンと上がるときがあります。それは、やはりいい文章に出会った瞬間です。素敵な芸術を鑑賞すると創作意欲が湧くとか、プロスポーツを観戦すると俄然燃えるとか、良い楽曲に出会うとインスパイアされるとか、やくざ映画を見ると肩で風を切って歩きたくなるとか……、そういうことです。「書くって素晴らしい」と思うと、いくぶん高いテンションで書けます。

文字だけで他人の心を揺さぶれる作家は羨ましいと思いますが、誰にでもできることではあり

ません。書くことは誰にでもできるけれど、書く人は誰もやらないものをやる必要があるのです。そういう意味では芸術のなかでは、もっともラクだけれど、もっともキツい所業のように思います。

内面はホット、周囲はクール

どんな書き手にもスランプというものがあるでしょうし、正直、もう旬を過ぎたと感じる作家もいます。栄枯盛衰、興隆（こうりゅう）と没落、山あり谷ありです。

私がもっとも書けないときは、「書いていて何の意味があるのかなぁ」なんてことを考えてしまった場合です。実際、この『〈ものを書く〉ことについて考える』を書いている最中にも、書く人は黙っていても書くだろうし、書かない人には書く人のための本だと思われて、関心すら与えられないだろうと考えてしまうと、もう筆は進みません。

だったらボランティアに行くとか、社会活動に参加するとか、せめて募金するとか、もっともっと、世の中のために優先することはたくさんあるのではないかと思ってしまいます。

そういう意味で、世間には、「汗をかきます！」みたいな熱いことを言う人がいます。「一所懸命がんばります」的な意味で、社会の混迷期に為政者なんかが使っています。一方、執筆においては一滴の汗もかきません。困っている人の前で書く努力をしても、直接的には何の役にも立ちません。

そんなことを考えてしまうくらいですから、平和な世の中の方が、心穏やかに執筆にいそしめます。

世間の不条理をするどく突いたり、正当性の矛盾に激しく抗ったり……、光あるところの影を見つめたり、肉を斬らせて骨を断ったり……、そういう自分のなかのホットさが、ときに書くモチベーションにつながることもあるのですが、その割には、汗をかく必要のないクールなご時世の方が執筆には能率的というのは、因果なものです。

書く意味を感じる立ち位置でないと書く気はしませんが、書くことの優先順位を感じない平穏な周囲の方が書けるという相反性は、如何（いかん）ともしがたいです。

早く書き上げ、ゆっくり書き改める

素人の私ですから、原稿の締め切りなんてものには追われません。ですが、いよいよもって書けなくなったらどうするか？　関係ない本を読む、書きたくなるまで距離をおく、別の作品を書いてみる、などなど、いろいろな対策はあろうかと思います。

私は、「どんなに駄作になろうとも、とりあえずは無理にでも早く最後まで書く」ということを優先させます。

自分は、根っからの改稿派です。〝改稿（かいこう）〟、〝推敲（すいこう）〟、〝添削（てんさく）〟、〝校正（こうせい）〟、すべてにおいて、やればやるほど文章のクオリティは上がると確信しています。ですので、お粗末でも、何をおいても初稿をあげることを命題にしています。筆が鈍ってきたら、適当に正論やきれい事を書いてお茶を濁します（前章で、正論やきれい事を書いてはいけないと言いましたが）。初稿で悩む時間があるなら、そのぶん早く仕上げることを目指します。

とにかく、質はどうあれ〝書けなくても書き上げた〟という自信が、私にとっては重要なのです。〝起承転結〟という体裁を整えたという（誰にとってかわからない）世間体と見栄とが大切なのです。その優越感と自らを誇る気持ちだけをよりどころに、改稿、推敲をしながら、ひたすら考えます。考えて考えて、練って、〝書き改める〟ことで質を高めていきます。

初稿ではあらすじだけを書き、推敲の段階で、引用や喩えやユーモアを入れて、ボリュームを膨らませていきます。

もともとマルチタスクが苦手な人間ですから、書けないからといって他のことはできません。無理にでも仕上げ、仕上がったものをゆっくり改稿します。一見、無謀に見えますが、私にとっては、この〝自己見栄（じこみえ）〟戦術が一番効率的なのです。

〝リバーサル論述法〟

特別なテクニックではありませんが、そのままのテーマでは書きにくい場合に、逆のことを述べて、そのテーマを肯定するという書き方があると思います。その〝リバーサル論述法〟についてお話しします。

「本を読むことの意義について論じなさい」という題材があったとしたら、「本を読まなかったらどうなるか」という観点から論じるということです（「他の媒体から情報を得るようにはなるが、本を読む人の希少価値感・高等趣味感が高まるでしょう」という結論に至ると思います――たばこが値上がりして、逆に高級嗜好品になるのと同じように）。

また、「グローバル化が進展すると、地球上で〝貧富の差〟や〝環境破壊〟や〝医療の不平等〟の問題が深刻化する」というような内容でエッセイを書きたいとしたら、「グローバル化が進展しなかったら、これらの問題は本当に発生しないのか」という目線で説いてもいいと思います（「突き詰めれば、人間の欲と、人口増と、厚労省の思惑によって発生した単なる医師不足が原因なので、グローバル化と関係なく深刻化します」という結論になるでしょうか？）。

もっと簡単なところでは、「〝少子高齢化〟問題に対しては、では逆に〝多子低齢化〟だったら問題はないのか？」（発展途上国がそうであるように、問題はあります）とか、「義理チョコをなくすには、すべて本命チョコと位置づければよいのでは」とか、「〝人工知能〟と〝自然経験〟、いざというとき本当に役立つのはどちらか？」とか、「お客様は神様だったら、神でなければ客ではないのか？」とか、「〝生理的に無理〟は、〝肉体的には可能〟なのか？」とか、「うっかり忘れ物をしないように、しっかり忘れ物をする」とか、そういう反対の観点から論述するということです。

逆の逆は、真とは限りませんが、とにかく相反性を利用した書き方もあるということをわかってもらいたくて、ちょっと言ってみました。

まとめ

書くという行為は対立で溢れています。単純に言っても、「書きたいけれど書けない」、「書きたくないけれど書かなければならない」、そんな相反するジレンマとの戦いです。

結局のところ「無理してまで書くか」、「無理してまでは書かないか」という、これまた不両立の壁と向き合うことになります。せっかく人生を豊かにするために書くことを選択しているのですから、書いて不幸になるのは避けたいと思います。とどのつまり、〝ツラいけれど楽しい〟、〝楽しいけれどツラい〟のせめぎ合いが、執筆というものなのでしょう。

小説を書いてみたいけれど……

書くことが日常化してくると、できることなら小説を書いてみたくなります。実際私も、友人から「文章を書くのが好きなら小説でも書いてみたら」なんて言われたことがあります。しかし、それは難しいと自覚しています。

小説家にとってエッセイを書くことは普通の作業ですが——保坂和志さんは、『書きあぐねている人のための小説入門』（中公文庫）のなかで、「エッセイだったら事前に考えていることをそのまま文字にしていけば形になるから、書く作業としては難しくない」と断言しています——、エッセイストが小説を書くことは、実は至難の業です。

なぜか？　一言で言うなら、エッセイストには〝空想力〟——〝妄想力〟と言った方がいいかもしれませんが——が足りないからです。というより、空想力を発揮させない方がいいからです。

本項では、エッセイと小説の成り立ちを分析するとともに、いく人かのエッセイストの持ち味を紹介したいと思います。

エッセイと小説の構造　エッセイは一人称、小説は三人称視点

エッセイとは、テーマを与えられていようがいまいが、少しの意外性を見つけながら、より忠実にリアルを伝える文章です。基本的にはノンフィクションで、空想上の話は許されません。自分目線で書くことが基本です。ですので、他人や世間なんかをテーマにした場合には、描写はすべて引用となり、自らの視点はひとつの意見に過ぎなくなります。言い方を換えるなら、〝一人称視点〟ということです。

細かい説明は省きますが、一人称視点における最大のデメリットは、視点主（多くは主人公、つまり作者である自分）以外の心理や描写を、直接的に表現できないことです。主人公の見たもの、聞いたものしか書き表すことができず、自分の知らない場所で起こるドラマは描けません。

エッセイの場合、視点で悩む必要はないのですが、その代わり、しっかりとした所感と心証、それに基づく考察と展望とが大切です。それらがなければただの情報になってしまいます。

一方、小説でよく用いられる技法は、〝三人称視点〟です。いわゆる〝神目線（かみめせん）〟というもので、すべての登場人物の客観的な心理描写を可能にします。結果、物語のフィールドを広げられます。

村上春樹さんも『職業としての小説家』において、「僕が一人称に別離を告げ、三人称だけを使って小説が書けるようになるまでに、デビュー以来ほぼ二〇年を要していることになります。……小説が三人称になり、登場人物の数が増え、彼らがそれぞれに名前を得たことによって、物

語の可能性が膨らんでいきました」と述べています。

また、小説家の書くエッセイには、多くの場合〝想像〟、もっと言うなら〝幻想・妄想〟が加わります。小説家本来の作業は架空のストーリーを創作していくことですから、エッセイにも架空を盛り込んできます。それらと事実とをミックスさせて、奇想天外、型破り、エキセントリックな話をでっち上げられると読者はたまりません。

もう少し詳しく小説の難しさ　本当の現実に惑わされてはならない

エッセイは事実の世界で、作者自身の体験や感じたことが書かれています。主人公はあくまで作者です。

そういう意味では、小説ももちろん作者の考えた世界なのですが、主人公は作者ではありません（〝自伝的小説〟というジャンルを除きますが）。ここが難しいのですが、小説は、物語のなかの登場人物が体験したり、感じたりしたことを書くのであって、作者自身の体験を書くのとは異なります。主人公は、その物語の登場人物なのです。

たとえば、登場人物が、作中で海を見たとします。それはやはり、物語のなかでの海なので、作者の記憶に残る海とは少し違っている場合がほとんどです。ストーリーや設定、誰と見るか、どんな心情で見るかで、海の捉え方は微妙に変わってきます。「自分（作者）が海を見たときはこうだった」という概念が強すぎて、物語の登場人物が、まったく違うシチュエーションで見たにもかかわらず、自分の経験を押し出してしまうと「ちょっと違うのでは」ということになってしまいます。

「現実を追求するけれど、本当の現実に惑わされてはならない」というのが小説なのです。

エッセイストの人格は　ニヒリスト&リアリスト

エッセイの話に戻ります。

ネタとして、特殊な経験をすればもちろんですが、日常の一コマでも視点を変えることによって面白い文章を生むことは可能です。「ネタを考えながらの生活はちょっと窮屈なのでは」と思われがちですが、現実のなかにおける意表を捉えることで、より刺激的な日々を過ごせるという側面もあります。


何が言いたいかというと、エッセイを書きながらの生活というのは、現実を受け入れている——とまではいかないにしても、現実を見つめている——ことなのかもしれません。事実を直視して、ある意味ニヒルな態度で世の中を見ています。言ってみれば、リアリストです。そうした人間の考えですから、頭のなかから妄想や幻想の占める割合が少なくなるのはやむを得ません。実際の出来事の文章化を心がけている人間にとって、小説という形式において、フィクションを創造していくことは、やはり難しい……と、私は感じています。

作者であるところの自分目線でしか物語を展開できないエッセイストは、小説における一般的な技法である三人称視点で書くことが、どうしても苦手になります。空想上の世界で主人公を動かすという虚構の世界には、馴染みにくいのです（「だからおまえのエッセイはつまらないのだ」と言われれば、甘んじて受けるしかありませんが）。

もちろん、一人称にもメリットはあります。主人公と一緒にその心理を追うことができますので、感情移入しやすくなり、読みやすさと臨場感とを高められます。エッセイの醍醐味はそういうところにありますので、その視点でリアルを追求していくことです。

エッセイを書き続けている作家の切り口

繰り返しになりますが、エッセイは実際の体験のなかから自分の思いや考えを綴っていくものです。それは、くどいようですが、事実に基づく話です。

起業家になってエッセイを書くようになった、会社で成功したからそのハウツーを説いた、銀座のママになってマル秘本を出した、セレブがおしゃれ生活を紹介した、グルメが高じてレシピをまとめた、タレントが旅行記を綴った、病気という特別な体験をして闘病記を出すことになった、などなど……、というメッセージを込めることで、意義深いエッセイは書けるはずです。

酒井順子さんの『負け犬の遠吠え』を筆頭に、記憶に新しいところでは、岡田光世さんの『ニューヨークの魔法』シリーズが異例のヒットを記録しました。ニューヨークに住んで、ちょっとお洒落な生活をしているだけのようにも思えますが、人と違う具体的な経験をしている人は、それをネタに、ある程度は書き続けられます。

中村うさぎさんは、破天荒な人生を打ち明け、歯に衣着せぬ物言いと、女としての欲望に正直に突き進んでいくエッセイストとして有名になりました。美容整形の事実とその後の経過について晒し（さら）、ホストにはまったことを公表し、自己愛性パーソナリティー障害*を自認しています。人生論的なエッセイというのも、読む人によっては感動を与えます。

上野千鶴子さんは、日本のフェミニストであり、社会学者です。専攻は家族社会学、ジェンダー論、女性学であり、正統派エッセイストとして、これらに関するたくさんの著書を発表しています。有名かどうかは別としても、専門領域のアップデートを書き続けるというのが、ストーリーを生んでいく現実的な方法かもしれません。医療エッセイというのも医者にしか書けないでしょうから。

*医学用語では「障害」の語を用いています。

まとめ

エッセイの成り立ちを踏まえつつ、いく人かのエッセイストの切り口を概説しました。堅い話でしたが、このあたりで今一度、エッセイとは何かを、〝型〟から問い直しておきたかったのです。**物を書き続けるという行為は、根気や努力といったことはもちろんですが、自分のウリを考え、前進していくことなのでしょう。**

「そこまで分析できているなら小説も書けるのでは？」という提案を再び受けそうですが……。書いてみて書けなかったらとても怖いので、もっともらしい言い訳しているだけだということに気づきました。

言葉は渡され、過去と未来とをつなぐ

古代から使われてきている〝文字〟には――〝言葉〟と言い換えてもいいですが――、過去と未来とをつなぐ役割があると思っています。

そう思っていたら、井上ひさしさんが、「わたしたちの読書行為の底には〝過去とつながりたい〟という願いがある。そして文章を綴ろうとするときには〝未来へつながりたい〟という想いがある」（『自家製文章読本』、新潮文庫）と述べていたことを知りました。

「本は記録であり、読書は過去とつながる行為である。文章を残すことは、いつかどこかでその文章は誰かとつながるだろう」という意味でしょう。

前項に引き続いて本項でも、多少堅い話になりますが、文字がいかに過去と未来とをつないでいるかを、私の経験からお話しします。

文字は過去と未来とをつなぐ

「文字は過去と未来とをつなぐ……」、ファンタジックな物言いに、自分で言っておきながら少

し恥ずかしくなりました。何か使い古された言葉のようで、いまさら感を覚えます。過去にも同じようなことを指摘した人はたくさんいたでしょうし、目新しさはなさそうに思います。ですが、手垢のついた言葉には、それなりの手垢の意味がありますから、いま一度原点に戻ってそういうことも考えておきたいと思います。

文字、あるいは言葉によって、過去や現在のものは未来へと受け継がれていきます。また、エッセイを一編書く場合においても、過去の一定の事実から書きはじめて、書いていく先で将来への意志を含ませます。歴史小説だって、ルポやドキュメントだって、詩や俳句だってそういう要素はあります。

『エッセイ講座』でのことです。

参加者のなかに、両親と夫と四人で暮らす六〇代の専業主婦がいます。開講後、間もなくしてからいらっしゃいまして、いまではもっとも長く通っています。目的をもって訪れたわけではなかったので、最初のエッセイを書くまでにはずいぶん日数を要しました。やっと提出された原稿には、震災の疲れと父親の介護での悲壮感とが重々しく語られ、「とても疲れる毎日です」の言葉で閉じられていました。

彼女の心情を理解するとともに、「〝結論〟の最後に一行でもいいから希望的な、未来的な記述があってもいいのでは」と提案しました。ほどなくして、少しだけ「震災を乗り越えた精神で、介護もがんばります」の記述が見られるようになりました。

やがて、庭先に咲いた一論の花や、木々に留まった小鳥の動きや、育てている野菜の成長などについて語られはじめました。そして、この一年は、初孫に関わる内容となり、「孫の将来を考えると、それがたまらなく生き甲斐になる」と締めくくられるようになりました。まさに、書くという行為によって過去と未来とをつないでいった事例です。そんなとき、私はエッセイ執筆もまんざらではないと思うのです。

いまさらこんなことを言うと湿っぽくなりますが、あの東日本大震災による原発事故によって、多くの人は避難を余儀なくされました。昨日と今日とがつながらない、まったく別の世界を経験したのです。

また、ある参加者は、死んだ飼い猫の思い出を綴ってくれました。「命を救ってくれたご主人様に嫌な思いをさせたくないという、猫なりの恩返しだったと思う」とまとめたことで、彼女は前向きになれました。文末に記した「……次に猫を飼うなら、保護猫を引き取って、もっと自由に育てるつもりだ」という可能性には、先行きの意志が含まれています。

絶命から、次につながる飼い方まで、まさに過去から未来へとつながる話です。

言葉を渡すという考えから

〝文字は過去と未来とをつなぐ〟なんてことを考えていたら、〝pay it forward〟という言葉を思い出しました。ある人物から受けた親切を、また別の人物へ、新しい親切でつないでいくことを意味します。同じタイトルの映画もあります。

情報を渡すことが簡単に、そして誰にでもできるようになりました。渡すだけではなく、それを別の人につなぐことも可能です。Ｆａｃｅｂｏｏｋの〝シェア〟、Ｔｗｉｔｔｅｒの〝リツイート〟、ＬＩＮＥのグループ作成、その他にもたくさんのＳＮＳやブログ、アプリなどによって、多くの人が情報を渡し、つなぎ合っています。

最近では、家も車も服もペットまでも、場合によっては彼氏や彼女も、あらゆる物が情報化され、その先でどんどんと共有の対象になってきました。シェアリングエコノミーと言われる経済活動です。

再び『エッセイ講座』からです。

三〇代男性の家が、津波によって半壊しました。支援してもらったボランティアへの感謝を綴ったエッセイです。

たくさんのボランティアに手伝ってもらって、どうにか修繕しました。ボランティアの人から、

「自分は時間があるから来ることができます。お手伝いしたくてやっているだけです」と言われたそうです。男性は、「時間があるとはいえそちらの生活もあるのに、他人への無償の援助に感謝すると共に、そういう支援というのは、心に余裕がないとできない」と思ったそうです。

その後男性は、再び、息子と一緒に生活できるようになりました。「いつかどこかで災害があった場合に、自分は進んでボランティアに参加するつもりだ」と書かれていました。

もうひとつ例を挙げます。今度はボランティアに行っている側の人からの言葉です。発信者の彼は、私の知人です。

令和元年の台風一九号によって、立て続けに被災地が生まれました。災害ボランティアとして手を差し伸べる人は一〇〇に一人、いや一〇〇〇人に一人もいないと思います。

失礼を承知で書きますが、不自由のない生活を送っている人は読むのをやめてもらって構いません。そうではなく、いま何らかの困りごとのある人、かつて困窮を経験したことのある人は耳を傾けてほしい。なぜなら、自分の弱さや不安定な境遇を自覚している人ほど、困っている人の心情がわかります。そういう人はきっと動いてくれると信じていますから。

いま東日本を中心に、突然の災害に襲われた膨大な人が、復旧復興の目処が立たず、心が折れそうになっています。少しだけ改善してあげられるのが災害ボランティアです。「行く」は一～一〇〇になりますが、「行かない」は〇です。祈っても、途方のない泥は片づきません。どうか一日だけでいい、被災された方々のもとへお手伝いに行ってくれませんか？　どんな非力な人でも、被災された方と同じ目線を持てるあなたが役立てるのです。

人は他人の恩恵を受けると、自分がこれまでに与えられてきた過去を、客観的にもう一度振り返ります。このメッセージを送った私の知人も、過去にきっと、相当の困難を経験したのでしょう。

私は、彼の言葉を受け取り、この書籍を通じて、次につなげる行動を取ったつもりです。まずは呼びかけかもしれませんが、世界を閉じずに自分の受けてきたことを次の人に渡すという考え方は、日本のような災害国にとってとても大切だと思います。それは、自分自身を次につなげていくための、大きなきっかけとなるものなのです。

まとめ

言葉は変化しますが、それによって歴史は受け継がれてきました。相手に自分の気持ちを伝えたい、相手の気持ちを受け取りたいという延長線上に言葉が生まれ、そして渡され、つながっていったのではないかと推測します。過去から未来へと言葉をつないでいくことは、その人にとっても、違う誰かにとっても、大きな力となりえるものと考えます。

『エッセイ講座』からの言葉を紹介しましたが、渡された言葉を、私はうまく次へつなげていけているでしょうか。最後に都合のいいことを言いますが、**せめて、この著書の一カ所でもいいから私の言葉が読者の胸に残り、次の人へと受け継いでもらえれば、こんな嬉しいことはありません。**

エッセイとブログとの違い

私自身はサイトやブログを開設しているわけではないのですが、必要に応じて他人のブログを読んでいます。その主な目的は、気になった件に対して、どんな意見が流布(るふ)されているのかをチェックするためです。たとえば、台風への備えはどうしたらいいのか、消費税一〇%はどうなのだ、マラソンの開催は北海道でいいのか、いろいろです。いまの問題に対する情報収集に、ブログは欠かせません。その一方で、情報が氾濫しているために、読めば読むほどわからなくなるという反作用もあります。

本項では、その〝情報攪乱(かくらん)媒体〟としてのブログについて考察してみたいと思います。

ブログは見てもらうもの、エッセイは見せるもの

ここまで散々、書くことの意義やメリットについて説いてきましたが、「やっていることはブロガーと一緒でしょう」という意見が聞こえてきそうです。はい、活字を用いて、自分の思いを伝えるという点では同じです。自己顕示と承認欲求という点でも、おそらく相違はありません。

ブログを読むと、その効用として、「考える力が身につく」、「新たなアイデアが生まれる」、「文章力が鍛えられる」、「相手の立場になって物事を考える癖がつく」、「ときに誰かの役に立つ」、「ビジネスにつながる」、「情報収集能力・情報処理能力に長けるようになる」というような内容が、ごまんと紹介されています。

たくさんの長所があるのですね。ただ、ブログには、まずは自分のためのメモとして書くという目的があります。そして、友達や同僚とのコミュニケーションのためという部分が、次にあります。

何が言いたいかというと、他人に読ませるという配慮はあまりありません。「オレはこう考えるけれど、キミらはどうよ」的な文章が多いと感じます。〝ブログは見てもらうもの、エッセイは見せるもの〟、同じようなことを言っているかもしれませんが、少し違います。

反芻と責任の多寡が、リテラシーを決定する

ブログという媒体は、日々のアップデートを目的とする場合が多いので、最新情報やハウツーやレビューのような、その時その時の瞬間情報の提供に力が注がれます。PV（ページビュー）を確保するには、スピード感が大切です。「熟読」や「精読」よりも「速読」、「実態」や「本質」よりも「イメージ」の蔓延（はびこ）るネット社会です。

これまた何が言いたいかというと、時事的な情報という点にウエイトがおかれると、自分の書

いたことの反芻が疎かになるということです。「いまはこうだけれども、状況はいかようにも変化しえる」のような感覚になります。ブログは、あくまで自己実現に向けてのツールだったはずなのに、まず言っておくということが目的化され、そのために関連情報を集めるというスパイラルに陥ります。

知識をまとめて発信する行為には、自分のスキルアップ、ビジネスチャンスの拡大、他人の人生に良い影響を与える、アフィリエイトでの収入というようなことがあるでしょう。ブログを書くことで自分の役にも立つし、見知らぬ誰かの役にも立つ、そういうのが書くための大きなモチベーションになるというのも、まあうなずけます。

最終的に何が言いたいかというと、ブログにしても――もちろんエッセイにしても――、責任を持ってどこまで何を書くかということに尽きます。必ずしもエッセイの方に責任が強いとは言いませんが、書く側にこそリテラシーがないと〝情報攪乱媒体〟になってしまうということです。

つながりを求めるのがブログ、つながる必要がないと説くのがエッセイ

偏見かもしれませんが、ブログというのは、どうも暑苦しいと感じることがあります。理由を考えてみると、〝つながりを求めるのがブログ、つながる必要がないと説くのがエッセイ〟という違いのあることに行き着きました（前項で、「過去から未来へと言葉をつないでいくことは、

大きな力となりえる」と語っていますが）。

例を紹介します。

エッセイといえば、誰が何と言おうと、何処で何が起ころうと、いつどうしてと言われようと、そのルーツは古今東西『徒然草』ですね。第七五段に「面倒な人づき合いは捨ててしまえ」的なことが書かれています。

まず、原文ですが、「つれづれわぶる人は、いかなる心ならん。まぎるるかたなく、ただひとりあるのみこそよけれ。世にしたがへば、心、外（ほか）の塵（ちり）にうばはれてまどひやすく、人にまじはれば、言葉よその聞きに随（したが）ひて、さながら心にあらず。……いまだ誠（まこと）の道を知らずとも、縁（えん）をはなれて身を閑（しづか）にし、ことにあづからずして心を安くせんこそ、暫（しばら）く楽（たの）しぶとも言ひつべけれ」です。

長くてすみませんでした。

訳しますと、「時間をもてあます人の気が知れない。独りでいるのが、人間にとっては最高なのだ。……世の中のしきたりに合わせると、欲に振り回されて迷いやすい。人と話をすると、ついつい相手のペースに合わせて自分の本心とは違った話をしてしまう。……まだこの世の真理を悟ることはできなくとも、煩（わずら）わしい関係を整理して静かに暮らし、世間づきあいをやめて、ゆったりした気持ちで本来の自分を取り戻す。これこそが、喜びを味わう方法といってよいのである……」ということになります。

結構、勝手なことを言い放っていますが、何百年も前のエッセイにおいては、「つながることなく一人でいることが、真理に近づくための楽しい方法ではないか」ということを、兼好法師は（責任を持ってか、持たずしてか、わかりませんが）諭（さと）しています。

いまから数百年後に残るエッセイの中身は、どういうものになるでしょうか？　現代のブログ社会のような、つながりを求める世の中の価値についての〝徒然〟になるのでしょうね。

書籍化の採否が、エッセイとブログとの違い

ここまで述べてから言うのも何ですが、もともと目的が違いますから、ブログとエッセイの差を論じても、あまり意味はありませんでした。ちょっと言っておきたかっただけです。

冒頭述べたように、私はブログをやっていないので一概には言えませんが、（あくまで私にとっての）両者における決定的な違いがひとつあると思っています。それは、後ほど章を改めて書くつもりですが、まとめた内容を書籍化したいと思うか否かです。もし、本書の内容がブログ形式で書かれたものでしたら、私は書籍としてまとめようとは思わないでしょう。

恐縮ながら、先ほど提示した、〝見せるもの〟、〝反芻されたもの〟、〝責任を持てるもの〟という、私のなかにおける最低基準をクリアした記述であれば、書籍化を考えます。裏を返すと、ブログ形式でしたら、これらの基準を満たさない可能性が高いので書籍化しません。

あとから書籍化したいと思うか、思わないか、私にとってのエッセイとブログの違いはそこにあります。〝つながる〟、〝つながらない〟が本質ではありませんでした。それはつまり、〝形にして伝えたいと願うか否か〟と言い換えてもいいかもしれません。

まとめ

ブログにしろエッセイにしろ、あるいはコラムや随想にしろ、似たような文体はいろいろあります。その捉えどころは個人によって異なります。結局のところ、**小さな差にこだわるよりは、自由に、より有意義な書き物ができればそれでいいのでしょう。**

ただ、自由には自己責任がついて回ります。人気ブロガーの書くブログには炎上がつきものです。「そんなことを気にしていたら書けない」と言い切れれば幸せなのですが、そう都合よくは考えられません。そういうときは、先ほど紹介した、七〇〇年弱の風雪に耐えた『徒然草』に思いを馳せて、原点に戻って心を落ち着けましょう（結構面白いですよ）。

第三章

どう書くか？

共感できる文章は日常から

前章の「書くこととは?」では、だいぶ概念的なことを語ってしまい、「では、実際どうすればエッセイを書けるのだ?」という疑問には、いっさい答えていませんでした。そのため、本章では実践的に、文章の構成やネタの考え方について触れたいと思います。

最初に指摘しておきたいのは、「なにか特殊な出来事や、特別な経験をしなければ書けないというものではけっしてない」ということです。もちろんレアな体験や新事実の発見があれば、その方が書きやすいとは思います。ですが、そういう内容は、感心、あるいは驚嘆(きょうたん)はされるかもしれないけれど、必ずしも共感を生むとは限りません。誰でも経験するもののなかにおいて、新たな価値観に気づかされたときにこそ面白みが生まれるのです。

本章の最初は、そのあたりを掘り下げたいと思います。

村上春樹さん、秋元康さんに学ぶエッセイの原則　多くの人が共感できる文章とは

時事ネタでも構いませんが、現在もっとも関心を寄せている内容を題材に選ぶことで、もっと

も躍動感のある文章を書けます。当たり前に思うかもしれませんが、実際これがなかなかできない。「何か特別なことを言ってやろう」とか、「誰も気づかないことを指摘しよう」と考え、マニアックでニッチな出来事を探そうとします。そういうのは、その筋の人にはウケるかもしれませんが、多くの人にとってはどうでもいいことです。
いつもの風景のなかにこそ、共感があるのです。

村上春樹さんは、「人の悪口は書かない、いいわけや自慢をなるべく書かない、時事的な話題は避ける」を、エッセイを書くときの原則、方針としており、「この三つの条件をクリアするような文章を書こうとすると、結果的にどうでもいいような話題に限りなく近づいていく」と打ち明けています（『おおきなかぶ、むずかしいアボカド　村上ラヂオ2』、マガジンハウス）。

秋元康さんは、『秋元康の仕事学』のなかで会議に参加している人たちのコップにそそがれている水の減り方の違いが、それぞれの人生と重なって見えてくるみたいな話をしていました。日常のあちこちに存在する食材を見つけるためには、自分が「おや？」と思ったことに対して、心のなかでどんどん付箋をつける作業を行っていくのだそうです。

最近、私が執筆したエッセイのタイトルは、「小高（おだか）のお蕎麦屋さん」（南相馬市小高区という旧〝警戒区域〟で再開した蕎麦屋です）、「今年も復興祈念駅伝を開催しました」、「母の介護をはじめました」、「果実の実らない桜の木ではあるけれど」、「神田祭・相馬野馬追に参加しました」などです。いずれも日常の一コマを捉えたものです。

目に入ったちょっとしたネタから、面白い部分をひねり出せるようになれれば一人前です。

工夫すべきは構成とネタ　大学医局の思い出を呼び起こす

エッセイの書き方に関する書籍はたくさんありますので、二〜三冊を読んで参考にすればいいと思いますが、言っている内容はだいたい同じです。それは、「〝表現力〟を磨いて、〝構成力〟を身につけて、〝内容（ネタ）〟に凝れ」ということです。

確かに文章表現に関しては、〝感性〟がものを言います。幼少時からの見聞や感受性、読書量や（芸術を含めた）教育水準に比例する部分もあります。しかし、文章の構成は〝学習と習得〟、ネタへの着眼点は〝心がけ〟と、もっと言うなら〝運〟によっても左右されます。

構成を考えたとき、読まれるエッセイの条件は、わかりやすさです。わかりやすさを追求したもっともオーソドックスな方法は、単純な結論で申し訳ありませんが、〝起承転結〟に則って書くということです。改めて言うまでもないのですが、序論、本論、結論という論文の書き方とは異なります。〝起〟は発端、〝承〟は経過です。そこで話を盛り上げ、〝転〟で感動や驚き、発見のエピソードなどを語り、新たな価値観が生まれたことを〝結〟でまとめるのです。

映画や落語などと同様、導入があって、展開がある、どんでん返しのための伏線が張ってあって、うまく落としたうえで最後の余韻（よいん）に浸りつつ次回への布石（ふせき）を残すという技法が理想なのです。

ネタに関して言えば、思っていることではなく、思い出すことが重要という指摘もあります。

確かに、例えば〝大学医局〟に関して思うところを挙げろと問われると、「先進医療」、「先端研究」、「白い巨塔」、「ヒエラルキー」、「いつも混んでいる」くらいしか浮かびません。思うことだけを書くと、正論を振りかざしたり、きれい事を並べたり、エッセイの大敵と言えるような、えてして観念的な内容になってしまいます。

一方、思い出を書けと言われれば、「徹夜の続いたＩＣＵ患者の治療」、「指導医にめちゃくちゃ怒られ続けた研究生活」、「イギリスでのドタバタ留学体験」、「ナースとの合コン三昧」、「誤診しかけた、くも膜下出血患者」、「患者との恋バナ」というように、そのまま魅力的なエッセイのテーマになりそうな、リアルなネタが生まれてきそうです。

まとめ

書き方のコツのような内容に軽く触れましたが、確かにエッセイの書き方を伝えるのは結構難しいと、やってみて感じました。「実践的に」と言いましたが、かなりまた「概念的な」内容になってしまいました。**一言で語れるものではありませんし、やはり、書き手のセンス**

に左右される部分が大きいのも事実です。私の書き方が、読者にとって相応しいとも限りません。

ですが、そう言ってしまうと身も蓋もなくなってしまいますので、論より証拠、次項では、実際に私の書いたエッセイをお届けしたいと思います。テーマはそうですね、映画やドラマに関心のある人は多いと思いますので、少し古くなりましたが、「ドラマ『白い巨塔』を解く」とでもしておきましょう。

エッセイスト医師、ドラマ『白い巨塔』を解く

二〇一九年五月に放送されたドラマ『白い巨塔』の感想をお伝えします。岡田准一さん主演のリ・リ・リメイク版です。

数多ある医療ドラマのなかにおいて、良くも悪くもこれほど長い間、医療者を楽しませてくれる番組は、他にはありません（最近で言えば、『ドクターX』でしょうか）。

改めて言うまでもないのですが、原作は山崎豊子さん。一九六五年、六九年に新潮社より刊行され、発行部数はシリーズ累計六〇〇万部を超えました。大阪の大学病院を舞台とする、医療ドラマの枠を超えた人間の本性に迫った作品で、私も大学生のときに読みました。刊行から五〇年経ったいまでもリメイクされ続けています。

医療の観点から『白い巨塔』が時代にそぐわないドラマになったと感じるポイント

一言で言うなら、スピード感があり、勧善懲悪（かんぜんちょうあく）のはっきりした、わかりやすい内容でした。配役には否定的な意見が多かったようですが、これに関して文句を言う筋合いはありません。

どの役者さんもベテランの域を超えていましたし、自分なりの役作りをされていました。もし演出に不具合があるとしたら、それは、その役者を選んだ制作側に問題があるということです。ですので、そこは不問に付します。

今回のリメイクによって明らかにされた事実は、「ようやく、この『白い巨塔』が、時代にそぐわないドラマになった」ということです。腹腔鏡専門医に姿を変えた財前でしたが、現代版に作り替えられたことで、さらに時代錯誤となりました。技術はいまどきだが、背景にあるストーリーは旧態依然ということです。

「教授が何と言おうと、やらなければならない検査はやるでしょう」ということです。もっと言うなら、教授の言いつけをここまで厳守する化石のような若手医師なんて、いまどき皆無です。現代の若者はもっと賢い。仮に教授に検査を止められたとしても、「所詮、教授なんてお飾りに過ぎないのだから」なんてことを考えながら平然とやるでしょうね。自分の身は自分で守る術を心得ています（むしろ、そう教育されています）。そういう意味では、いくら若手といえども、担当である柳原医師の責任は結構大きいと感じてしまいます。

医師像の観点から　医師の胸の内を知る重要なシーンが省略されていてがっかり

財前と里見の抱いている医者としての考えを、もっと深く描写するべきでしょう。そのクライマックスが、控訴審の終わった直後でした。財前の愛人ケイ子が勤めるクラブで、財前を諭す里見のシーンがあったのですが、それを、ケイ子が「今日の喧嘩はここまでにしておいたら、一日で決着をつけるにはもったいなさ過ぎる」と言って止めてしまいました――もちろん、〝二日目〟というのはありませんでした。

医者としての価値観をぶつけ合う絶好のシチュエーションだったにもかかわらず、つまらない横やりが入りました。尺の問題だったのかもしれませんが、あれは医療者にとってがっかりな脚本でした。

というのは、多くの医者は財前と里見との二面性を秘めています。〝上昇志向を持ちながらもヒューマニズムを忘れない〟という心がけで、日夜診療に明け暮れているのが、大多数の医者の姿です。その二面性をコントロールしていくのが医療人としての大切な資質なのですが、その胸の内を知る重要なシーンを省いてしまいました（だから里見にも、医者としての至らなさはあります）。

医療監修の先生、こういうところをきちんと指導してください。

裁判の観点から　底の浅い裁判風景に落胆

医療側と患者側との軋轢は、いまをもってしても枚挙にいとまがありませんが、いずれにせよこのドラマの裁判描写は中身が薄かった。

結局のところ、教授の権威を笠に周囲が口を噤んでしまったことで、一審では勝訴、二審では、真実をバラされてしまったために敗訴という、実に底の浅い単純な裁判風景でした。「原作がそうだから」という言い訳はせず、せっかく現代版にリメイクされたのならば、医療技術だけでなく、「医療事故調査制度の発動」くらいには踏み込んでいただきたかった。

現代の医療訴訟は複雑です。患者・家族への説明責任を果たさなければ、「医療界にはやはり隠蔽体質がある」と捉えられ、個人への責任追求がはじまります。気持ちはわかりますが、それでは訴訟が増えるだけで、現場の改善は放置され、結果として患者は救われません。期待する結果を得られなかったという理由で個人が責任を取らされたのならば、医療者はひとりずつ現場から立ち去ります。処罰感情を優先されては、医療は立ち行きません。訴訟を扱うのでしたら、こうした医療者側からの、切なる喚起にも触れてほしかった。

これからの『白い巨塔』 医療過誤も現代版へのリメイクが必要？

結局のところ、この物語の面白さは〝権威の失墜〟という部分です。ストーリーは、割と単純です。教授を目指す野心家医師が、目的のためには手段を選ばず、やがて傲慢な態度を取り、権勢を振るい、結局のところ医療過誤を起こし、自身を侵す病魔に気づかず、最悪を迎えるという、誰にとっても救われない話です。

最後に人の痛みや母の思いを知るシーンはありましたが、もし、このドラマから教訓を得るとしたら、「調子に乗ってるからよ」というリベンジ的な要素以外にあまり感じられませんでした。原作の書かれた時代でしたら、もっともっと多くのメッセージを含んでいたかもしれませんが、本作では〝自省(じせい)の念〟ということ以外には何も伝えられなかったのではないでしょうか。財前の、ある意味ヒール役としてのインパクトはあったけれど、深い記憶としては残らない。そんな印象でした。

これから『白い巨塔』のリメイクがあるとしたら、「昔の大学病院はこうでしたよ」という、エンターテイメント作品としてすべて古い体質として仕上げるか、そうでなければ、医療過誤、医療紛争も現代版に作り替えてください。

まとめ

賛否両論のあったドラマ『白い巨塔』を題材に、やや批判的な立場でエッセイを書いてみました。コツとしては、わかりやすいように「医療」、「医師像」、「裁判」など、テーマを設けることで、いくつかの考えを主張しました。ケイ子のくだりのように、エッセイでは、全体をなぞって焦点がブレるより、ワンシーンを掘り下げた方が共感を得やすくなります。

観てしまえば「面白かったなぁ」で終わってしまうドラマや映画でも、こうして振り返って自分の言葉でまとめておくと、たとえば職場で『白い巨塔』談義がはじまったときに、**意見をしっかり言えるようになります。**大袈裟かもしれませんが、**エッセイを書いていると、そうした議論にも強くなれます。**

今度機会があれば、『ドクターX』についてのエッセイを書きたいと思います（が、しかし、それ以前に一回もまともに見ていませんでした）。

エッセイの5W1H、その真意

メルマガやブログ、SNSなど、コミュニティへの参加のために、もっと言うなら社会的生活を営むために、文章作成の不可欠な世の中になりました。

文章の書き方やスタイルは人それぞれだろうと推察しますが、本項では、私のような医者がエッセイを書く場合における具体的な作業工程について、その方法を紹介します。一般の方におきましては、ご参考にしていただければありがたいです。

いつ(When)書くのか？　私が診察の隙間時間を利用して文筆する訳

本業のあるなかで行う文筆作業は、夜間か早朝、あるいは週末になりがちだと思います。しかしながら、私は少し違います。メルマガのような短編向けに投稿を一本書こうとした場合の原稿作成は、日中の、しかも診療の合間です。

外来診察室の自分のデスクにPCを置き、診察と診察の合間にキーボードを叩いているのです。あるいは、その都度わざわざ医局に戻って、医局・外来・病棟の往復を繰り返しながら、隙間時間を利用して書いています。診療中、スマホ片手に調べ物をしたり、メールの返信をしたりしている人もいると思いますが、それと同じ要領です。

そんな行為に対して、「ミスのきっかけになる」、「行儀が悪い」、「診療に余裕があるからだろう」などの批判もあろうかと思いますが、私にとってその執筆スタイルは変わりません。医学論文も、そうやって書いてきました。理由は、どちらの作業も気分を換えながらできるというメリットがあるからです。忍耐力の乏しい私は、外来患者を五人くらい続けて診ると疲れてしまい、ひとつのことを継続できません。

使う回路が違っているように、診療と執筆では、頭の使い方が異なります。少し診療しては物を書き、書いては診療するという繰り返しの方が、イライラせず、逆に効率がいいのです。〝ながら勉強〟をしてきた私の性格なのかもしれません。

どこで(Where)書くのか?　地元の図書館でノスタルジックな気分に浸るのもアリ

文筆作業について、別宅の書斎という恵まれた環境のある人もいると思いますが、普通は自宅か、勤務時間後に職場に残って書くというのが、まあ一般的でしょう。なるべく家庭には持ち込みたくないというのも、うなずけます。

他に、カフェや穴場のコーヒーショップ、ファミレス、ホテルのロビーというのが定番ですが

――最近は、コワーキングスペースやシティホテルのデイ・ユースなども――、なかには通勤電車やカラオケボックス、ネットカフェという方もおられるかもしれません。それぞれが、落ち着ける場所を選んで物書きをしていることでしょう。

先ほど言ったように、私は診察机で書くことも多いですが、それ以外であれば、週末なんかは地元の図書館に行きます（田舎なので、落ち着けるシャレた場所は、他にありません）。混んでいることがほとんどなく、ゆったりできるのです。パーテーションで仕切られた空間において、高校生に交じって物書きをするというのは、学生時代の受験勉強を思い出し、ノスタルジックな気分に浸れます（あの頃の自分に、「生涯図書館に通い続けることになるんだよ」と言ってあげたい……）。

すでにだいぶ昔のことですが、異性の友人宅（恋人や愛人宅でも可）というのもなかなか趣深かったです。ちゃぶ台にＰＣを広げて書き物をしつつ、チビチビやりながら相手の帰りを待つという（太宰のような）生活にも憧れます。これまた「気が散るのでは」と思われるかもしれませんが、夜食やコーヒーなんかが自動的に出てくれば言うことないですね。

なに（What）を書くのか？　エッセイは実に開かれた文学

この問いに対しては、「テーマをどう見つけるか？」という疑問に答えることと、およそ同じ意味でしょう。

以前に、「もっとも関心のある出来事を、少しだけ変わった方角から眺め、新たな価値観への気づきを伝えることがエッセイの醍醐味だ」と言いました。もちろん、「真実を穿つような内容を、率直に語れ」とも言いました。また、『エッセイ講座』の参加者には、「何気ないことであったとしても、自分の胸に感じている想いを文章にしてみましょう」なんてことも指摘しました。

ここまで述べてきて自分でも気づきましたが、要は、そのとき思っている感覚を、その感情に任せて書いて構わないというのが、おそらくエッセイなのでしょう。

ただ、再三再四（さいさんさいし）、示しているように、「他人に読ませる前提で書く」ということと、「他人を傷つけるような内容は書かない」という、このふたつさえ守れば、基本、何を書いてもいいのでしょう。

そういう意味では、実に開かれた文学と言えるのではないでしょうか。日記よりはやや緊張して、手紙よりももう少し大勢に向けて、ブログよりも部分的に責任を持って、論文よりもだいぶ自由に、小説よりも相当気楽に書けるのがエッセイなのです。

なぜ（Why）書くのか？　執筆せずにはいられない根源的な動機に突き動かされる

原点に戻るようですが、「なぜ書くのか？」を考えてみることも大切です。いかに書こうかと思案してばかりいると、なかなかこの問いに返ってこられません。

すでに何度も言ってきていますが、正直なことを言うと、やはり〝自己表現欲求〟という理由も多分にあります。自分が、自分であるが故に、自分のために、自分で書くのです。つまり、表現することで己の気持ちが整理され、納得し、最終的には満たされた気持ちになります。大袈裟かもしれませんが、癒され、安らぎ、救いを得ることができるのです。

「人間には、食べたり寝たり、遊んだり仕事をしたりといった本能的・社会的欲求の他に、他から見れば〝どうして？〟と思うような、それをしていなくては前に進めない（取るに足りない）欲求がある」というようなことを幻冬舎の見城徹さんもインタビューで語っていました。同感ですね。

そういう欲求に駆られてしまった自分を、幸運と呼ぶべきか、不幸だと感じるか……、私は後者のような気もするのですが、でもとにかく、そういう根源的な動機に突き動かされているというのは確かなようです。――書く理由に関しては、これまでも、そしてこれからも何度も論じていくと思いますが、もし万が一、前と言っていることが違うという記述がありましたら、「その時々の感情によって変わることもある」とご理解ください。

どう（Ｈｏｗ）書くのか？　スムーズに筆を進める方法は研究論文のそれに近い

エッセイの書き方を説いた書籍を読んでいて、「文章は一行目から書く必要はない」という記述を見つけました。藤原智美『文は一行目から書かなくていい　検索、コピペ時代の文章術』（プレジデント社）です。それは、確かにそう思います。

研究論文を書いてきた人間でしたら納得できると思うのですが、まずは書きやすい〝対象・方法〟（データの収集方法や実験方法を説明する箇所）から書きはじめるのが、論文作成を円滑に進めるコツです。この部分は機械的に実際には書けるので、あまり文章力を必要としません。

本項においても実際私は、この「どう（Ｈｏｗ）書くのか？」の項を最初に書いています。しかしながら、書いていくなかで、『５Ｗ１Ｈ』（いつ、どこで、だれが、なにを、なぜ、どのように）という順番で話を組み立てた方が、並びがいいし、わかりやすいだろうと気づき、そういう構成に近づけるよう文章を考えました。

エッセイにおいては、書きたいところから、あるいは書きやすい部分から書き、エピソードや比喩や引用を添えながら、徐々にストーリー性や理論的整合性を図っていく方が、おそらく筆は進みます。

最後に実用的なことをひとつ紹介します。私にとって非常に役に立つ検索サイトです。

同じ文字の多用や、適当でない反対の言葉は文章を幼稚にします。リズムよく読んでもらうには、語調が大切です。語感のいい、語彙を、語呂よく、ここぞという場所で使います。頻用する強力なサイトは、ｗｅｂｌｉｏ『類語辞典』（https://thesaurus.weblio.jp/）と、WORDDROW.NET『対義語辞典』（http://worddrow.net/）と、『漢字ペディア』の四字熟語検索（https://www.kanjipedia.jp/sakuin/yojijyukugo/）です。常にこのサイトを開いて、検索を繰り返しながら、より適切な語句を選んでいます。当たり前かもしれませんが、ボキャブラリーを増やしていくことで、文章表現の幅は広がります。

まとめ

本書によって、書くことの意味を、言い回しや角度を変えて説明していますが、正直、真意を伝えることの難しさを感じています。ここまで読んできても、「うまく書けるような気がしない」と感じている読者もいるでしょう。そういう人は、本書の〝書くことについて考える〟という、けっして面白いとは言いがたい堅いテーマにおいて、これだけグダグダといろいろなことをこねくり回して説き続けられるという、そんな愚直な書き物もあるという事実だけは、どうかご理解ください。そして、**「こんな文章だったらオレの方がまだ爽やかに書ける」と、自分の記述に自信をもっていただければ、私の遠回しな解説も少しは役に立つのではないか**と期待しております。

継続する力を養うヒント

物語を創造していくような、いわゆる〝作家〟は特別な能力を要しますが、〝エッセイスト〟にそこまでの気負いはありません。

エッセイストとしての初動は、まず名乗ってしまうことです。「私、男みたいにサバサバした性格だから」とか、「私、すぐ忘れちゃうタイプだから」とか、「私、執着しない人だから」とかと同じレベルで、「私、エッセイストだから」と言ってしまって構いません。現に私は、この水準ではありますが、名乗ってはばかりません。名刺に〈エッセイスト〉と刷り込んだ時点で、誰もが文筆家です。「医者の仕事の合間に、趣味で物書きやってます」という自己紹介に憧れ、勝手に酔いしれることです。

やってみればわかりますが、名乗ることの効果は抜群です。書く気概を特別に上げます（あるいは、書く障害を格段に下げます）。そこで再度、書くためのスキルアップについて、これまで語り尽くせなかった方法のことを、改めてお話ししたいと思います。

とにかく書き続ける！　自分オリジナルスタイルを携え継続する

冒頭に示したように、何はともあれ物書きを名乗ってしまい、「自分は書ける」と思い込むことが大切です。小手先の技術に関しては、〝エッセイの書き方〟のような本を読んで実践していれば、遅かれ早かれ身につきます。

ただ、文章の上達した頃に〝ネタ切れ〟というか、「何を書こうかなぁ？」と考え込むことはよくあります。自分なりのスタイルを構築していって、「ああ、結構文章力を身につけたな」と思っていたら、書くことがなくなったというのでは、継続できません。そういう意味では前項でも少し指摘しましたが、手を替え品を替え、話の切り口や糸口を変え、時事ネタを取り入れたり先達者の教えを引用したりして、同じテーマでも、永遠に書き続けられることが重要です。

ネタ切れに悩む前に、同一テーマでどこまで書き続けられるか、それを練ることも、エッセイストとして必要な胆力(たんりょく)です。本書においても、〝〈ものを書く〉ことについて〟というこのタイトルでどこまで書き続けられるか、私は腕を試されているような気がします。

村上春樹さんも、『職業としての小説家』において「小説を書くのはそんなに難しいことではないが、小説を長く書き続けていくことは至難の業だ。それは、普通の人間にはまずできないことで、ある種の〝資格〟のようなものが求められる。もともとそういうものが備わっている人もいれば、後天的に苦労して身につける人もいる」と述べています。

彼の、この本からは、「自分のオリジナルスタイルこそが大切で、それを携(たずさ)えながら継続しなさい」というメッセージが強烈に聞こえてきます。

ナイトライフを削れ！　皆の行くルーチンな飲み会には参加しない

書き続けるには、それ相応の〝代償〟を覚悟しなければなりません。書く時間を確保するには、何かを犠牲にしなければならないということです。前回、日中の診療時間中にも書き物をしているという話をしましたが、じっくり校正するには夜の落ち着いた時間も必要です。

ですので、そのような時間を確保するためには、いかにナイトライフを削るかということになります。

私の取った行動は、「皆の行くルーチンな飲み会には参加しない」ということでした。それは、忘年会や新年会、歓迎会や送別会、納涼会やお花見、医局旅行にも行かないという徹底した信念――というか、パフォーマンス――を貫くことで、「ああ、マジなんだ」と周囲に解ってもらうためでした。

私は、この歳になって、自分に対してできるだけストレスをかけたくないと考えるようになったので、自分の自由のために、他人が私の自由に関わろうとすることを、可能な範囲で排するようになりました（もちろん、人によりけりですし、将来はわかりませんが）。

最初の頃はいぶかしく思われたかもしれませんが、個人的に誘われれば臨機応変に参加する――というか、むしろ積極的について行く――という態度を取ることで、偏屈というわけではけっしてないと理解してくれます。人には「譲れない何か大切なものがある」ということを浸透させれば、不義理にはなりません。

組織のなかには、大勢の飲み会が苦手という人が必ずいます。そういう人たちから見れば、私のような〝コミュ力〟に一定の自信のある人間があえて飲み会に行かないという姿勢に、「そこまで徹底できて、逆に羨ましい」という賛辞すら与えてくれます。

何かを得るためには何かを犠牲にせざるを得ない。大袈裟かもしれませんが、それを恐れてはいけません。

書きたいときに書け！　士気の上がったときは、スピード感のある文章を書けるもの

なかなか文章の書けない人に、「そんな堅苦しく考える必要などない、気が向いたときに自分で思ったことをサラッと書けばいいんだよ」とアドバイスされる人がいたとします。その方は相当の書き手ですので、ほとんど参考になりません。何度も言いますが、〝他人に読ませるために書く〟ことが前提なのですから。自分で思ったことを書くだけでは不十分です。

ただ、「書きたいときにだけ、書きたいだけ書く」というのは〝アリ〟かもしれません。私の

これまでのエッセイ書籍に関して言えば、書きたくなった時期に集中して書きました。大学病院時代は、まさに医療の憤懣(ふんまん)や個人の鬱積(うっせき)を原動力として、一気呵成に書き上げるという作業を繰り返してきました。士気の上がったときは、スピード感のある文章を書けるものです。

〝書き下ろし〟が終わると、しばらくはネタ集めの充電期間に入ります。ただ、その間も、できるだけメルマガやコラムの連載なんかを維持して、書く感覚だけはキープするよう努めています。そんななかで、感覚維持には、度々登場している毎月の『エッセイ講座』が有効に機能しています。これを継続している限りにおいては、他人の文章の添削ではありますが、文字をこねくり回すという作業を繰り返すことができます。逆に手を抜けず、いつも最良な原稿に仕上げる必要がありますので、私にとっては書く力を落とさないための有用手段となっています。

五九歳主婦がベストセラー　トコさんのモチベーションは

書くためのモチベーションは人それぞれです。主婦から一念発起、エッセイストに転身した五九歳の女性（トコさん）がいます。『おひとりサマンサ』（西日本新聞社）はとても面白いです。家事と育児とに追われ、離婚の後、「私の人生って何だったの？　何とか、社会のなかで認められたい」という思いが募り、まずＰＴＡの会長に立候補しました。それだけでも大したものなのですが、編集を担当した〝学校だより〟の文章を、国語の先生に褒めてもらったことをきっかけに、身の周りの内容をミニコミ紙に綴って発行したのです。

最初の読者は知り合い一〇人ほどでしたが、三年後、送り先は一〇〇人を超えました。原稿が溜まったところで、トコさんは「これを本にしよう」と、地元の出版社への売り込みを開始しました。最初の一社で企画が通り、自分の本を出したのです。ミニコミ紙の読者ばかりでなく、彼らが周りに宣伝してくれたお陰で、その本はたちまちベストセラーになりました。

飲み会に行かない私を羨ましがる人とは比較にならないくらい、私はトコさんが羨ましい。エッセイストとしてデビューを飾る、絵に描いたようなシンデレラストーリーに、そういうことが世の中には起こりえるのだと望みをもちつつ……、私も精進を続けます……。

まとめ

〝学問に王道なし〟ならぬ、〝エッセイに王道なし〟です。

最後は根性論になってしまいました。エッセイストを名乗るまでは、威勢のいいことを言っていましたが、私にとって重要なのは、とにかく書き続けることです。「好きだから」という理由だけでは、継続することはおそらく不可能です。

不安でも不満でも、見栄でも格好でも、使命感でも義務感でも、暇つぶしでも「オレの才能が書かせているのさ」という自惚(うぬぼ)れでもなんでもいい、**なにがあろうと、書くためのモチ**

ベーションを維持するしかありません。そして、テーマとなり得るような出来事に対して、常にアンテナを張り続けることです。

突き詰めれば、結局このふたつだけなのですが……。

なぜ医者の文章は面白みがないのか？

医者が論文以外の文章を書いた場合に、「書きたいことは書き尽くしたが、いまいち面白みに欠ける」という悩みを抱えることがよくあります。論文でない文章を論文のように書けば、当然そうなります。原因のひとつとして、まずは偉そうというか、〝上メセ〟があります。大学教授の物言いが「鼻につく」、「いけすかねぇ」ということです。

それはそうとして、現実的なことを言うならば、表現力の乏しさが挙げられます。自分オリジナルのネタがあったとしても、そのまま書いただけでは退屈な内容になりますし、誇大な形容や奇妙な比喩を〝個性〟と勘違いして独りよがりな文章を書いていても、これまた不快なだけです。表現するには、体験を臨場感たっぷりに伝える描写力が必要です。そこで本項では、表現力についてついて考察したいと思います。

医者の表現力が乏しい理由　論文は表現力を必要としない

まずもって、どうして表現力が乏しいのか？　その理解からはじめたいと思います。

医療系の学問を学んできた人たちにとっての優れた文章というのは、事実を客観的に捉えた論考だったり、他人を納得させるだけの評説だったりします。科学的根拠に基づいた、理路整然とした理詰めの文章です。優秀な医者の査定のひとつとして、いわゆる〝論文〟の多寡というものがありますから無理もありません。

もちろんサイエンスですから、それはそれでいいのです。

「心気的な訴えの多い本疾患における希死念慮が昼下がりの午後に多発したことを鑑みると、うららかな春陽の心地よさには、人を陥れる妖魔が潜んでいるのかもしれない……」などと結ばれている叙情的論文を採択することはできません。

繰り返しますが、論文には情緒を挟む余地がないのです。

研究の帰結に対して、「お気に入りのジョン・コルトレーンを聴き、木漏れ日の下で秋風に揺れる枯葉を眺めながら、リルケの感じたような『どの一片の落葉も、舞い落ちながら宇宙の最大の法則の一つを満たす』気分だ」という充足感に浸ったとしても、その気持ちを論文に残すことはできません。

論理的な文章を求めた結果、表現力が欠けてしまう

多くの子供たちは、小学生から中学生くらいの時期に、いわゆる〝日記文〟から〝作文〟へ、文体の転換を余儀なくされます。中・高において、作文を上手に書けるようになった生徒は、

きっといまでも論文を書くことが得意でしょう。

学童期に書いていた「山から溢れ出た涙によって作られた泉のそばで、キツツキの奏でる木琴の声に耳を澄ませていたら、早く着いた冷たい綿ぼこりたちがボクの体にまとわりついてきた」といった、幼稚ですが麗しいセンチメンタルな表現は、学年が上がるにつれて、すなわち高等教育を受けるに従い「湖畔で小鳥のさえずりを聞いていたら、初雪が降りはじめた」という、乾いたフレーズに変わってしまいました。

「話しかけるたびに花は嬉しそうに踊る。きれいな花を見て、わたしも花のように育ててもらいたいと願う。そのためには、いつだって美しくいられる自信はあるのだから……」の潤いに満ちた、ちょっとおませな表現は、「花鳥風月や百花繚乱という〝花〟を用いた熟語は、自然の美しさを表現している。花は、自然美の象徴であり、私は、花から活力をもらう」という、実に大人びた非の打ち所のない上品な文章に変換されていきました。

事実を事実として表記することを重要視するあまり、文章は何の変哲もない言葉の羅列になってしまったのです。

高校、大学生あたりの作文の文体が、体験の再現や気持ちの描写よりも、意見の論述に多くを占めるようになるのはやむを得ません。レポートなんかの場合、表記には理論的な整合性や一貫性を必要としますから、査読者や教育者にしてみれば、そういう記述の方が優劣を判断しやすい。

一方で、体験や描写はどこまでいっても書き手の感性なので、正確な評価基準がありません。採点しやすい論説の題材ばかりが作文の課題として出されるようになり、描写力は役に立たないものになった。私はそのように考えています。

医者の表現力は、それによって眠らされたのではないでしょうか。

論文採点の経験から感じた描写力が育たない理由

大学病院時代のことです。私は、本学入試試験の小論文問題を作成し、採点していました。課題文を読ませて、それについて自分の考えを述べさせる形式です。

学問を発展させるには、これまでにない発想、これまでにない視点が必要です。ペーパーテストでは判断できない論理的な思考力を有するか否か、実社会で評価を得るような新規の発想を生み出せる人材か否かを判断することが、医学部が入試に小論文を課す主な理由です。

〝オリジナリティ〟や〝独創性〟、〝ユニークさ〟という要素をチェックしたいのですが、「これだけ書いておけば下手な査定は受けない」という要領を得た優秀な学生は、論題に対して疑問を投げかけ（あるいは賛同を与え）、具体例を紹介しつつ、それについての一般的見解を示し、自分なりのちょっと違う視点からのコメントを加え、最後に当たり障りのない結論――「……病める人を救えるような、そんな立派な医師になりたい」――とかで締めくくることが多いように思います。

彼らは、小論文に必要なものとして、「〝自分の主張〟と、〝それが正しいという根拠〟とを明示しろ」という教育を受けてきました。自分の主張、つまり、何を訴えたいかがはっきりしていなかったり、根拠が欠けていたりするようでは、採点者を納得させることはできません。だから、限られた文字数で論旨を明確にする必要があり、どうしたって簡潔で断定的な論述にならざるを得ないのです。

医者の描写力は、そういうパターン認識によってさらに凍結されてしまったと、私は感じています。

感情を言語化する習慣が表現力を養う

自分にしかできない表現を、しかも共感を得ながら書き進めなければならないというのは、考えてみれば大変な作業です。だからこそ、そこには大きな価値が潜んでいます。

表現力を養うためには、なんでもいいから、とにかく言語化する習慣を身につけるしかありません。美しい風景を見たり、美味しいものを食べたり、素敵な洋服を身にまとったり、愛らしい動物に出会ったり、特に心躍る経験をしたら、何が自分をそうさせたのかを考え、文字に落とし込むのです。

それと、優れた文章をよく読み込むことです。表現を意識して他人の文章を読み、自分の文体を身につけたいという意志を持つことです。前述しましたが、又吉直樹さんは、『人間失格』を一〇〇回くらいは読んでいます。

参考までに、私がはじめて原発被災地に入った際、そこで見た風景の描写文を、少し長いですが紹介します。

「昼食をとった後、私たちは飯舘村に向かった。いくつかの峠を越えたところで、村の看板を見つけた。残暑の厳しいこの季節ではあったが、村は天然色に溢れていた。草木は風に揺らぎ、川はたおやかに水を湛えていた。気流に乗って雲が流れ、村はどことなく牧歌的だった。昼食を済ませた後ということもあって、きっと、昼寝でもしたら気持ちいいだろうなどと考えながら運転していた。

飯舘村役場で車を降りた。真っ先に、一体、この土地のどこが汚染されているのだろうと思った。村は、恐ろしいほど普通だった。役場周囲はよく整備され、真新しいクリニックや民家が残されていた。一九世紀の印象派の画家が題材に選びそうな、温和で平静でイノセントな休日の午後のような光景だった。道路には信号が点り、トイレの水は流れ、当たり前のように携帯電話もつながった。

ここは、紛れもない日本の国土の一部であった。目に映っている状況を伝えるとしたならば、きっとそれは、単に村の風景の紹介をするだけで終わってしまうのではないか。

自然や建物は、変わらずそこに存在していた。私は、放射能を感じさせる証跡を探した。しかし、空はいつものように青く、風はいつまでも爽やかで、緑はどこまでも深く、そこには何もなかった。

だが、生き物を介さずに作るものが〝無機物〟で、生き物を介さないと作れないものを〝有機物〟と定義するならば、ここにあるのは〝無機物〟だけのような感じを受けた。人がいなかった。気のせいか鳥や虫の鳴き声もなかった」

（小鷹昌明『原発に一番近い病院』、中外医学社より抜粋）

まとめ

本文のところどころで、描写の文章をしたためました（斜体の部分）。**表現力は一朝一夕には身につきません。**人間としての感性も重要です。**でもだからこそ、文章の精度を上げるための飽くなき探求心が発動するのです。**

喩えるなら、オムライスを美しく包めるようになるとか、ハーフマラソンの記録が一分縮まるとか、お気に入り入浴剤の風呂にゆっくり浸かれるとか、その程度ですが、それは人生にとって、ほんのわずかな満足と喜びとを与えます。書くという行為は、そのくらいのトキメキです。小さいけれど確かな幸せをこれからも感じながら、私は執筆を続けていきます。

『エッセイを書く』というテーマでエッセイを書きました　エッセイのもつ二面性

ここらで久しぶりに、再度、実際のエッセイを書いてみたくなりました。が、しかし、本書はエッセイの考え方を述べる作品で、実際のエッセイを載せる場ではありません。ではどうするか。「『エッセイを書く』というテーマでエッセイを書く」という落としどころを見つけましたので、このテーマで書いてみたいと思います。

エッセイの面白みを体感していただければ嬉しいです。

『エッセイを書く』というテーマでエッセイを書く　その一

一〇年以上にわたってエッセイを書いてきましたが、広く読まれているとはけっして言えません。そこで、読まれるためにはどうしたらよいか、じっくり考えてみたいと思います。

第一にネタ、第二に文体、第三に営業、これらを改善させることだと、私は思っています。そして、第四に有名になること。

ネタに関しては、多くの人たちの関心を惹きつけられればいいのでしょうが、それがわかれば苦労しません。たとえば、グルメやファッションや旅行や芸術やスポーツなどは、多くの人に興味を持たせるトピックでしょうけれども、たいして知りもしないのに書いても、中身の薄さや底の浅さを悟られるだけです。

エッセイというジャンルの読み物は、気軽な方がウケるとわかっているのですが、どうも私の文体は硬くなりがちです。性格が几帳面だからという理由ではありません。科学論文を書いてきた手前、そういう癖が抜けないからです。

本を刊行すれば、出版社からある程度の営業はかけていただけます。ですが、それによってたくさん売れるという保証はまったくありません。「結局は中身でしょ」と言われれば、ぐうの音も出ません。

何の特徴もない平凡な人間なので、有名になれるという兆しはまったくありません。そんなネガティブな私でも、自信をもって、楽しくエッセイを書いています。どうです、エッセイって誰にもできる〝自分自信法〟だと思いませんか。

『エッセイを書く』というテーマでエッセイを書く　その二

一〇年以上にわたってエッセイを書いてきましたが、読まれているとは言えません。読まれるためにはどうしたらよいかを考えたいと思います。

ネタや文体はまったく関係ありません。本が売れるか売れないかは〝運〟です。優れた内容の本が必ずしも売れるとは限りませんし、たいして中身のない本がベストセラーということもあります。たくさん売れている本が面白いとは言えませんし、多くの人の買っている本が、自分にとって楽しいかどうかもわかりません。言われるまでもないことです。

ベストセラーというのは、作品のクオリティだけで売れたわけではなく、時流や出版社の宣伝方法、ネットや口コミ（特に著名人からの発言）での広がりというものも、大きく関わってきます。だからきっと、売れた秘訣を明かしてもらうとしたら、それはひとつだけなのではないでしょうか。〝売れるまで書き続けた〟ということです。

一方、駄作には駄作たるゆえんがあります。「どこが下手だったのか？」とか、「どうして読者に受け入れられなかったのか？」とかいう失敗を分析して、次回作にそれらを再現させなければいいのです。失敗から学ぶ方が、人は成長できます。拙著（せっちょ）をお読みいただき、「こういうところがダメなんだな」と認識され、読後、教育的駄作に出会えたことに感謝していただければ、私も時間を割いて書いた甲斐があるというものです。

『エッセイを書く』というテーマでエッセイを書く　その三

一〇年以上エッセイを書いてきましたが、読まれていません。読まれるためにはどうしたらよいかを考えます。

いきなり参考にならない話で恐縮ですが、村上春樹さんのデビューは戦慄（せんりつ）でした。千駄ヶ谷でジャズ喫茶を開いていた頃のことです。野球の観戦中にふと、「そうだ、僕にも小説が書けるかもしれない」と思い立ったそうです。店の仕事を終えてから夜遅く、台所のテーブルに向かって小説を書きはじめました。満足とは言えないにしても書き上げた作品を新人賞に応募したところ、これが一発で受賞してしまいました。三〇歳の年です。

その後も淡々と書き続けた結果、五作目の長編小説『ノルウェイの森』が、四三〇万部の大ベストセラーとなりました。三八歳で押しも押されもせぬ、有名作家になったのです。

成功した小説家人生の軌跡に憧れます。書くことが好きで書き続けることができれば、自分らしい作風を確立して、いつかは多くの読者を獲得できるのではないかという、大いなる幻想を抱かせてくれます。でも、こんな人、なかなかいませんよね。彼の評価が上がれば上がるほど、活躍すればするほど、心のどこかで「オレはそんな上手くいくはずがない」と思ってしまいます。

でも少し考えてみると、村上さんに限らず、本が売れれば売れただけ、この業界の活性化につながります。自分の本を読んでくれる人も現れるかもしれません。だから、「村上さんのような作家は例外中の例外で、直木賞や芥川賞を受賞しても消えていった作家はたくさんいる」とは思わずに、村上春樹になれると夢見て、少しでも早く、一冊でも多くの本を書くべく、執筆を重ねていくことです。

『エッセイを書く』というテーマでエッセイを書く　その四

一〇年以上エッセイを書いてきましたが、読まれません。どうしたらよいでしょう。

直木賞作家の角田光代さんは、デビュー後に苦労した作家のひとりです。大学時代、少女小説で賞をもらいましたが、大学卒業と同時に編集者から「もう書かなくていい」と言われたそうです。彼女自身も少女小説に向いていないと気持ちを改め、文芸誌の新人賞に応募して二三歳の時に再デビューしました。しかし、ここでもまた、物書きの収入だけでは食べていけず、派遣社員として働きながら作家業を続けていきました。

「書いても書いても、あるサイクルから抜けられない」というスランプに陥り、出版社からも声の掛からない状態になりました。デビューは早かったものの、何度も廃業の危機に見舞われました。やがてスランプを抜け出し、直木賞を受賞しますが、それまでの道のりはけっして平坦なものではありませんでした。

若くして作家になっても、苦労するなら、歳を取ってからのんびりデビューした方がいいのではないかという気がしてきます。一定の職に就き、ある程度の資金を貯めながら未発表作品を書き溜めておくのです。そして、中年を過ぎたあたりで発表します。

歳を取れば、「人生はトップスピードで走るものではなく、マラソンだ」ということを悟っているでしょうし、失敗したとしても、それほど恥ずかしさは残りません。幸運にも何かの賞を得られたとしたら、手にした成功に心から感謝できます。そして何より、非現実的な目標を掲げて自分を苦しめることをしませんから、スランプもありません。いいこと尽くめです。

そんなことで、いまは夢を一旦おいておいて、私のデビューはこれからと思っています。

二面性をもつエッセイ

偉そうなことを言うようですが、同じテーマで、同じ書き出しだったとしても、何通りかのストーリーを考えてみることです。

お気づきの通り、〝その一〟と〝その二〟、〝その三〟と〝その四〟とでは、論旨が逆です。どちらかが嘘というわけではなく、どちらも本心です。人間の考えには表裏がありますし、考えながら書いていくと、当初思っていたストーリーとは真逆の方向に展開されることがあります。

こういうのもエッセイの醍醐味であり、自分の考えの二面性に気づかされます。書いているなかで、人間の曖昧さや、考えの不確かさを実感できることもまたエッセイの楽しみと言えるでしょう。

まとめ

短い文章でしたが、この四編を考えることで、エッセイの成り立ちを理解できたのではないでしょうか。

書くことは自由です。心境が変化し、書く時期によって、言っていることに矛盾を生ずることがあります。気づくと、相反(あいはん)することを書いていたりもします（私の場合、本当によくあります）。でも、気にしないことです。とにかく、**人生を豊かにしていくためには、その時々で思ったことや感じたことを書き乱していくに限ります。**

書けたとしても、書き続けるには相当なパワーが要ります（この手の話題に関する記述が本当に多いですね）。

語りたいアイデアが後から後から湧いてくればいいですが、そう都合よくはいきません。それでも書き続ける理由は……、本音を言うなら、物書きを名乗る以上、作品を生み出し続けなければならないからです。それなくしては、名乗ることはできません。〝元エッセイスト〟、〝元作家〟を名乗っている人など見たことがありません。

本章の最後に、書き続けるために必要な考え方を考察したいと思います。

書き続けるために必要な考え方　〝孤独〟、〝煩悶〟、〝習慣〟、そして〝王道〟

孤独

書き続けることを考えたときに、私は、〝孤独〟という二文字が頭から離れません。こういうことを言うと〝消極的〟な性格と思われがちですが、やはり書くという作業は常に一人ですし、切っても切れない関連性だと思っています。「クリエイティブな仕事をするには、ある程度の孤独は欠かせない」と言うと、ちょっと格好いいのですが、むしろ孤独を解消するために書いている部分があります。もう少し前向きに言うなら、孤独を楽しむために書いているという言い方もできるかもしれません。

仮に人間が独りぼっちになったら何をするでしょうか？　無人島に流れついたことを想像してもいいですが、これだとサバイバルが優先されますので、ちょっとシチュエーションが異なります。

そうですね、適切な喩えかわかりませんが、牢屋に閉じ込められた場合がいいかもしれません。ムショですることといえば、読書と書き物です。来る日も来る日も書き続けます。それは手紙だったり、反省文だったりしますが、必要なものは紙と鉛筆だけです。縁起でもありませんが、遺書や遺言を書く気分というのはどういうものでしょう。

人は独りのときに何をするかといえば、最後は書き物をするのです。

牢屋というのは極端かもしれませんが、書くときは自分の想像や記憶に深く潜り込まなければなりませんから、徹底的に己と対峙する必要があります。私も常日頃（つねひごろ）、時間のあるときは、一人で書き物をしています。集団行動を窮屈と感じるから物書きを選んだのです。書く行為は、群れからの回避だということです。

スピリチュアル的に言うと、孤独は、自らの発見の手助けをします。一人でいると、自分が普段目をそらしているものまで含めて、さまざまな側面に思いを馳せることができます。また、情緒面での成熟においても必要な行為ですし、その状態で内省（ないせい）すると深遠な洞察が得られます。

一人でいるから孤独というわけではありません。むしろ、集団のなかでの疎外感の方が孤独を感じます。物書きの独りは、自らの意志です。独創的な思考を深めるために、深く深く自分の内面に沈んでいく作業に、逆に誇りを持ってもいいくらいです。

書くことの本質は、周囲の観察からです。見るという観点から物事を捉え、思慮を深め、自分なりの解釈や理論を加えて、文章として表出します。見られる側ではなく、見る側でいるということです。見て、書くために、一人をわざと迎え入れている、そんな物書きの孤独は、〝積極的孤独〟なのです。

煩悶

良い悪いは別にしても、書き続けるためには、〝煩悶（はんもん）〟を繰り返すという行為が大切だと思います。

そういう意味で喩えるなら、『三四郎』、『それから』、『門』、『こころ』を書いた夏目漱石です。いまさら言うまでもないのですが、彼はなぜ執拗なまでに、何度も何度も友人との〝女の取り合い〟を描いたのでしょうか。現代のライトノベルならまだしも、明治の時代にもかかわらず。

文学を論評する目的はないので、詳しい分析は避けますが、彼は罪悪感と人間のエゴというものについての記述を、これでもかというくらい繰り返しました。

「モタモタしていれば先に持っていかれる」（『三四郎』）、「出し抜いて口説けば友人を傷つける」（『こころ』）、自分が手を引けば後悔する（『それから』）、「結局忘れられない人妻に手を出す」（『それから』）、「略奪してもその後の罪悪感に苦しむ」（『門』、『こころ』）などなど。実に人間くさいです。

実生活においても、若き漱石には大塚楠緒子という好きな人がいました。二人は恋人同士で、漱石は彼女の婿候補の一人でした。しかし、実際は、『吾輩は猫である』に登場する美学者、迷亭のモデルとされている大塚保治博士と結婚してしまいました。松山行きは、その失恋が原因だったと言われています。晩年の作『硝子戸の中』に彼女が登場していることを鑑みると、結婚した後も、漱石はこの美貌の夫人にひそかな恋慕を抱いていたのではないかと言われています。

悩みというと大袈裟ですが、私自身も、東日本大震災の被災地に移住して九年目を迎えます。ここでの情報発信を命題にしています。答えの出ない現場からの答えを求めて日々暮らしています。

漱石・恋愛ストーリーは、三角関係における男女の宿命をしつこく追っています。私は、世界初のトリプル災害（地震・津波・原発事故）後における街の変化を追っています。悩み続けることがいいとは思いませんが、こうした生涯をかけての煩悶があると、書き続けられるのかもしれません。

習慣

書くことを習慣化することで、いくらか書き続ける負担を減らせるのではないかと思っています。

月並みな意見ですが、執筆とジョギングは似ています。面倒くさいかもしれませんが、どちらもコツコツ励んでいれば、少しずつ力がつきます。最初は書けなかった文章も少しはまともになりますし、走れなかった距離でも走れるようになります。もっともジョギングでしたら、つらくとも走るという行為自体は明確ですから、やるかやらないかの根性論になってきます。やれば根性があるし、やらなければないということになり、構造は割と単純です。

一方、執筆はどうでしょうか。毎日書いたとしても――いや、書けないこともあるでしょう――、出来がよくなければ消すことになります。駄文のなかにも進歩を感じられればよいですが――いや、感じられないことも多いでしょう――、そうでないと本当に嫌になります。やることが明確どころか、どうしたってやれないことさえあるのです。

ただ、習慣化しているなかで書いたものと、たまに単発で書いたものとでは、どちらの質が高いかと問われれば、私は前者だと思います。

曖昧な表現になってしまいますが、書き物にはノリが大切です。「今日は筆が振るっているな」と思う日がたまにあります（その逆の日もたくさんあります）。そういうのは、ある種の当たりを引くという感覚で巡ってきます。常にくじ引きをしている人と、くじさえ引かないでいる人と、どちらの確率が高いかといえば明白ですね。

博打（ばくち）みたいな言い方になってしまいましたが、書けなくても書くなかでの効能は必ずあると思いますし、〝常に書いている〟に勝る〝書けるという自信〟は、他にありません。

当たり前のことを言っている気もしますし、そもそも「書き続けるためには」などと考えていられるのは、私が素人だからでしょう。プロでしたら、そんな悠長なことを言っている暇はありません。書くことが前提ですから、この問い自体ありえません。

基本的に執筆とは、〝ネタを探す〟、〝内容を考える〟、〝書く〟という行程の繰り返しです。習慣化のためには、「たいしたことではない」と自分を騙（だま）し込むことも大切です。

王道

ブログなんかをやっていると――私はやっていませんが――、おそらくPVが気になることでしょう。〝いいね〟や〝リツイート〟や〝トラフィック量〟や〝アクセス数〟や〝フォロワー〟や〝チャンネル登録〟なんていうのも同じです（アクセスに関する用語が増えました）。

強がるわけではありませんが、そういうのは、あくまでも書いたことへの反応です。反応を目的にしてしまうと、それが得られないときには、「書くのは止めよう」ということになってしまいます。

反応が目的でしたらそれは仕方がありませんが、本当にそれが目的ですか？　とにもかくにも書きたいからはじめたはずです。「読まれなければ書く意味がない」なんてことは、ウェブデザイナーやアプリケーション・エンジニアあたりに言わせておけばいいのです。私たちの目的はただひとつ、なるべく質の高い文章を書くことです。

ＰＶが少ないのは、文章が下手なのでも、内容が面白くないからでもありません。単に知名度が低いからです。そんなものに自分がコントロールされているようでは、到底書き続けることはできません。目的は自分のなかにあります。書くことを自分のなかで達成できれば、まずはそれでいいのです。

単発のエピソードを得て、そのことを書いていただけでは、そう長くは続けられません。読まれるエッセイを、しかも長く書き続けるには……、まずは独自のちょっとした専門を――すなわちそれは、好きなことだったり、人より詳しいことだったり、マニアックな趣味だったりしますが――自分の視点で物語を煮詰める、そして、それについてひたすら追い求め、書き続ける。書いたら今度は、どんな媒体でもいいから発表し続ける。そして、売り込む。これがエッセイストを目指す王道ではないかと思います。

現実を考えると、凡人や素人にとっては基本的にこれしかありません。みんなそこからはじめていると信じて……。

まとめ

本項は自分自身を鼓舞するために書きました。

もう一言……、ネタとしては、まずは身近な出来事から書きはじめます。**オリジナルな切り口で勝負し、「そういうことあるよね」とか、「なるほど、そういう考えもあるよね」を目指していれば、自然と読ませる技術は向上していきます。**

「エピソードを絶えず追求していく姿勢、関心の幅を広げる工夫、そして何よりも書くという前向きな意識さえ貫けば、必ずや、読者はついてくる」と言ってしまえれば格好いいのですが、実際の私がそうであるように、エッセイストとしては鳴かず飛ばずの状態が続いています。

第四章

書くことの先には　執筆の外側から

被災地でのエッセイ執筆

書くことを考えるための本ですが、この章では、文章にまつわる外側からの話題をまとめました。一見、エッセイ執筆とは関係ないと思うかもしれませんが、何らかの形で書くこととつながっていますし、この文章自体がエッセイのようなものですから、多少の参考になるのではないかと、予め言い訳させていただきます。どうぞ、ゆっくりお楽しみいただければありがたいです。まずは、いまの私のおかれている状況を少しだけお話ししたいと思います。

二〇〇〇年に一度と言われる大震災を受け、世界初のトリプル災害を被った福島県浜通りですが、少しずつ平穏が訪れ、それに伴い日常を取り戻しつつあります。

震災の翌年、この地の被災地支援に参画して以来、四〇代の多くを過ごしてきました。医療支援や社会活動など、ここでの生活は、生涯忘れられない貴重な経験となりました。「何もしないよりはマシ」という一点の気持ちによって動かされていた自分がいました。「継続とは何か」という問いと格闘し、維持することの意味と向き合ってきたような気がします。

長く書き物を続けるには、生活環境も影響しますので、本項ではそんな実態を述べてみたいと思います。

東日本大震災後に語ってきたこと　支援者感情の理解を求む

被災地での暮らしは、間違いなく私の執筆活動の原動力になっている部分があります。「またか」と思われるほど、これまで何度となく、書く意味について説いてきました。そのひとつひとつにもちろん嘘はないのですが、大袈裟に言うならば、ここでの暮らしが、私に「書け！」と命じているような、そんな気持ちになるのです。えも言われぬ義務感のようなものが存在しているのは確かです。

冒頭述べたように、私が南相馬市の病院に赴任して以来、気持ちとしては半分生業としている作業が、このエッセイの執筆でした。こんなことを言うと医者らしくないのですが、震災の影響を主題に科学論文を書くより、被災地でのリアルな現実をエッセイとして残しておきたいという考えがあったからです。「多くの人に福島の現状を知ってもらいたい」という思いもさることながら、きっとそれが自分を支える手段だったからでしょう。

読んでいただいた地元の方からは、「先生、忙しいのにいろいろなことを発信してくれて、本当にありがたいです」とか、「どこにそんな時間があるのですか」などのコメントをいただきました。そんなときは決まって、「いえいえ、自分で楽しめることをしているだけで、たいしたことをしているわけではありません」と答えてきました。が、しかし、いま考えると、私はここで自分自身の生き方をただ模索してきたに過ぎません。少しだけ人の役に立ちそうな行いをすることで、自分というものを立ち上げ、維持していただけなのです。

そういう意味では、逆に「よそ者が何をしているのだ」と思われた部分も、もしかしたらあったかもしれません。しかし、よそ者がここに来て、どのような目的で、なにゆえの理由をもって、いかような感情を抱きながら、地域に溶け込んでいったかを述べておく必要もあるのではないか。地震に限らず、いまや日本中で起こっている災害です。ボランティアによる支援は欠かせません。これからの日本だからこそ、支援者感情を理解しておいてほしいと思うのです。無遠慮なことを言うようですが、私のような人間の書く支援エッセイというのはとても貴重だと、自分に言い聞かせながら書いてきました。

被災地医師としての立場から　心地のよさとやり過ぎない医療

被災地という理由で、さまざまな事情を抱えた患者もいます。でもだからといって、実際の医療に何か特別な処方箋があるわけではありません。この街に暮らす住民の健康管理と疾病の治療を、その人に合わせて行うだけです。それは、どこの病院でもやることです。もし、この地でやることがあるとしたら、そうした被災者意識のある患者を理解してあげることと、医療支援のノウハウを県外に伝えることだけです。

この仕事に就いた以上、破綻しない程度の自己犠牲と、できる範囲での使命感は必要だと思っています。ただ八年間にわたって支援を続けていると、残念ながら限られた医療資源というものにも一定の納得を示すようになります。どうがんばっても実現不可能ということや、「あまり無理しても」と思うような状況が、被災地に限ったことではないものの、医療の世界にはあります。甘んじるのではけっしてなく、迎え入れるという姿勢も、ある意味では医者の原動力を維持するには必要なことだと考えるようになりました。一級を目指す、心底尽くす、いつまでも寄り添う、などの耳当たりのよい言葉が何の説得力も持たないということを強く自覚させられる現場でした。

私は医者であるにもかかわらず、「病院は暇な方がいい」、「薬は飲まないに越したことはない」、「医者いらずの患者になってほしい」と思って、日夜診療しています。それは、ここに来てある時期から、社会的正義感に医療を当てはめることを止め、心地のよさというか、やり過ぎない医療を指標に暮らすようになったからです。

多くの支援者は、一定の目処が立てば地元に帰ります。私のように、居を構えて長く滞在する人間は珍しいかもしれません。結局、ほどよい力の抜け加減が、長い医療支援につながっているのかもしれません。

被災地でこれから語るべきこと　新旧入り交じる新たな文化

私はここで、日々の診療や、復興を支援する社会活動、あるいは個人の思想など、その時々での考えというものを書き留めておく作業を通して、己の内面を注意深くのぞき込んできました。この地でエッセイを書くという目的は、結局のところ自分の行動のためです。さらに言うなら、生き方を楽にするためです。

高齢化、医療・介護・福祉の崩壊、農林水産業の衰退、教育システムの減退など、あらゆる業種にダメージを与えた震災でした。復興に湧いた活気は完全に沈静化し、支援者たちは次々と撤退していきました。そんななかで、一部残った移住者と地元住民とで新たなコミュニティを形成し、街は新旧入り交じる新たな文化を育てつつあります。震災から一〇年が経とうとするこの地域から、改めて伝えられることがあるとしたら、こうした多種多様の人種の交錯する社会創世についての新知見です。

原発から二〇キロメートル圏内の旧〝警戒区域〟にできたアクセサリー工房やロボット生産工場、被災馬の育成地、新たな産業としての菜種油や絹織物や唐辛子生産、復興祈念駅伝の主催などなど。私の開講した『エッセイ講座』もそうです。這い上がるなかから生まれた希望や、まったく気がつかなかった新たな価値観があります。

一気に進んだ高齢化により、二〇年後の日本の未来が、この南相馬市にはあります。ここでの現況は、日本の多くの地方における将来の姿です。さらに言い方を変えるなら、ここで生きるということは、二〇年後の日本を生き抜いているようなものです。

まとめ

二〇一九年の秋に発生した二つの巨大台風によって、福島県浜通りのわが家は〝避難指示〞を受けました。災害の前では、医者もなにもあったものではないということをはじめて体験しました。危うく被災地で被災者になるところでした。

迎え入れるという姿勢を考えていましたが、全国どこでも発生する自然災害のなかを、一人の人間として生き抜くには、冷静かつ客観的かつ実践的な行動力を養いつつ、「まずは自分でできる備えが必要だ」と強く認識するようになりました。

抗ってきた人生に、数年前から無理をしないという哲学が加わり、偶然得られる愉しみと新たに築かれる価値観とを基準に暮らしていきたいと考えていましたが、**ここへきて自己の判断力・防衛力もやはり必要なのだと、考えを修正するようになりました。**その変化を捉えていくためにも、エッセイ執筆は、これからも欠かせない作業になりそうです。

〝医学〟から〝文学〟へ

読書は嫌いでした。何よりも読書感想文が苦手でした。『ノルウェイの森』でさえ挫折するくらいに小・中・高校時代は、まともに小説の一冊も読めませんでした。

そもそも私が医学部に進んだのは成り行きでした。父親が獣医師でしたので、動物より人間の治療にやり甲斐を感じ、あとは一浪の末、なんとか私立医大の合格ラインまで勉強したというだけです。大学生時代、苦しいながらも、必要に迫られて医学関連の書物を読みました。そんななかで、自分の知識が足りないせいもありましたが、世の中の読み物はどうしてこんなにわかりにくいのかと思いました——勝手なことを言うようですが、知識のない人間をわからせるのが専門書でしょうと。

医者になって大学院に進み、研究生活を送るようになりました。これまた必要に迫られて、たくさんの医学論文を読まざるを得ない状況になりました。そして、またまた難解な論文にたくさん出会いました。世の中は解りにくい表現で溢れていると。

そこから私は、論文を書くようになりました。心がけはひとつです。わかりやすい文章を書きたいと。

医学生が文学に目覚めるまで

私に〝文学〟を語る日がくるとは、夢にも思いませんでした。

必要に迫られたと言いましたが、実際には、無理矢理必要だと思い込むようにしました。これから医学を学んで、ある意味、科学者になろうとする人間なのだから、医学書くらいはスラスラ読めなくては、また、それに関する常識程度の雑学を身につけなければ……、そう思って本を読みはじめました。格好から入るのは、私の得意とするところです。

大学生時代、まず手はじめとして出会ったのが医療モノのエッセイでした。当時、永井明さん（『ぼくが医者をやめた理由』よりは、『医龍』の原案作家と言った方がわかりやすいか）や、おおたわ史絵さんの『女医の花道！』、米山公啓さんの『大学病院の不健康な医者たち』なんかを読むようになりました。そこで、「医者の世界ってこんなものなのか」という知識を得ました。

以来、医療に関する書物を読み漁(あさ)るようになりました。最初に感銘を受けたのが、例に漏れず渡辺淳一先生でした。愛とエロスの巨匠なんてことも言われていましたが、れっきとした医者（整形外科医）です（でした）。初期の作品には医療者をうならせるほどの、繊細かつ刹那(せつな)的な医療小説が揃っています（『麻酔』、『長く暑い夏の一日』、『無影灯』、『白い宴』、『雪舞』、『麗(うるわ)しき白骨』、『脳は語らず』、『雲の階段』などなど）。渡辺文学を通じて、私は一気に本の世界へと、ひいては医療の世界へとのめり込んでいきました。
そこから海堂尊さん、久坂部羊さん、南木佳士さん、春日武彦さん、帚木蓬生さんなど、医者で作家という本のほとんどを読破するに至りました（その一方で、森鷗外、斎藤茂吉、北杜夫、加賀乙彦、などいなだは、ほとんど読んでいません）。

そうなりますと、ジャンルは医療に留まらず、「人間とは」、「生老病死とは」、「尊厳とは」のようなテーマの本にも目覚めていきました。吉村昭さんなどの闘病記や、大津秀一さんなどの死生観を記した本に手を伸ばす一方で、この頃に太宰治や芥川龍之介、夏目漱石といった、いわゆる文豪と言われる人たちの代表作をひと通り読みました（川端康成は詩的、抒情的過ぎて解らず、三島由紀夫は単に難しくて挫折しました）。人間が真に怖いのは〝死〟ではなく〝死に方〟なのだと。

忙しくなってきた研修医に続く大学院時代、仕事の傍ら、読書時間を捻出することが困難になってきました。が、むしろ、成長できているという実感に酔いしれる幸せな時間でした。「若さに任せて深夜二時に寝て六時に起きる、病院に行き、朝読を済ませて仕事をする」みたいな期間が一〇年くらい続きました。読書、診療、研究、論文執筆三昧の日々でした。
仕事のことを考えていると、稲盛和夫さんや松下幸之助さん、大前研一さん、ピーター・ドラッカーさん、ホリエモンなど、自叙伝モノやビジネス書を読むようになりましたし、自己啓発やハウツー本も一時期は結構読みました（いまは、その手の本はまったく読みませんが）。論文からエッセイを書くようになった経緯は、すでに述べましたが、そういうものを書いていると、思想本のようなものにも目がいくようになりました。吉本隆明さん、高橋源一郎さん、鷲田清一さん、橋本治さん、森博嗣さんなどの本も相当数読んできました。

読書遍歴を語っているとキリがありませんので、このあたりで話題を変えます。

医学に対して文学の出番

医学部に入学して医者になるにつれて、教科書や科学論文をきっかけに、遅ればせながら読書をはじめました。潜在的に本が好きだったとはとても言えないのですが、どういうわけだか私は、医者になることを目指した時点で、書というものと、もっと言うなら、言語というものと向き合うことになりました。

〝医学〟は、「病気を予防したり治す行為。病気に関するすべてのことを取り扱う科学」（『ステッドマン医学大事典』より引用）ということに、一応なっています。一方、〝文学〟は、審美的な側面をもちつつ言語によって作られる芸術作品です。

「医学と文学とは、共に〝人間〟や〝生死〟を扱う学問である。医学は外側から、文学は内側から、アプローチの違いはあれど、目的とするところは人間である」、そんな論調で双方の関連性を説く人がいます。医者で作家の人たちです（渡辺淳一先生も言っていました）。「医療という生体を扱う学問を生業としていれば、おのずと文学の高尚さに目覚めてくる。両者の共通性に気づき、人間の尊さにも関心が向くようになる」と声高に言うことができれば、私も少しは高邁を気取れるのですが、いまいちピンときませんでした。

余談ですが、確かに生体の登場しない小説を、私は寡聞にして知りません――「北風と太陽」のように、生体に喩えた天然物を主人公とする物語はありますが――。もちろん、人間の登場しない医学もありません。両者に人間はつきものです。

繰り返します。人間の生死を扱うような本もたくさん読んできましたが、だからといって医学と文学とが共通すると言われても、短絡すぎると思っていました。

私にわかったことは、単純な結論で申し訳ありませんが、どちらも言語化してはじめて機能するということだけでした。

医学は技術を強調しますが、「有能な医学者が、独創的な方法を画策して少しずつ研究の歩を進めていった場合、その真摯で忠実な論文を読んでいったときの同系者の心持ちは、行きたくても行けなかった場所へと導いてくれるような、そんな頼りがいのある気持ちになる」ということです。優れた研究結果は、論の進め方に曇りがなく、その筋の人だったら誰にでも理解できなければならないのです。ある意味これは文学であり、芸術です（私に理解できなかった医学書や論文は、私のせいではなく、「やはり駄作だった」と都合よく解釈するに至りました)。

そして、もうひとつ、生きることの意味や人間の本質といった、医学では証明しえないものを説明したいのであれば、文学は、ある程度適していると思いました。〝観念〟という概念は、医学におそらく存在しませんので、意識内容を記したいのであれば、文学の力を借りることになります。

また、すでに肉体的アプローチが不可能となった患者にとっては――すなわち、難病や不治の状態に陥った場合――、精神的、心理的アプローチの意味も大きいと感じます。そのときは、情理を尽くして病状を説明しなければならず、文学や精神心理学――加えて、哲学や宗教学――の大切さを痛感します。このときばかりは、医学に文学が接近していると強く自覚します。

文学の限界

文学とは、「言葉を紡いでいく過程で生じてくる〝実感〟」というのが、私の思うところの、もうひとつの定義です。

〝実感〟というのは、空想でも絵空事でもフィクションでも机上論でも、技巧的に言葉を紡ぎ出していけば、あたかも事実のように思えてくるという感覚――つまり、そこに読者を引き込んでしまう感覚――です。しかしながら、どこまでいってもそれは、あくまで実感であって現実とは異なります。文学は文字であり、言葉であり、表現でもありますが、そこには何の権力も強制力も、ましてや治癒力もありません。

そういう意味では、文学の存在は、言葉（文字）では簡単に解決できないものを、言葉の限りを尽くして解決しようとするジレンマであり、そのジレンマに挑んできた苦労の足跡だとイメージします。

身も蓋もないことを言うようですが、結局のところ、答えのない問いや、上限のない喜びや、底の知れない不安に対する納得を求めている人に、「こうだから解決できる」、「これをもってして語り尽くせる」という言葉だけの分析をしたところで、一歩も本質には近づけない学問だということです。

いまの私には、文学から何かをどうこうすることはできません。ですから、ここで、私にできるせめてもの精一杯は、「遠いところから人々の心を揺さぶり、そして引き込み、作中の現実を読者に再体験させることによって、自分と読者とを連帯させる実感を創り出すこと」、この一点だけです。

まとめ

私は、医学を学び、さらにいま文学という領域に足を踏み入れています。あまりに先は長く、見えてきたものは、せめてここに書いた程度のことです。さらなる理解のためには、私が学生のとき、そしてはじめて文学に触れたときに思った、わかりやすい文章を書くということの精進を、これからも続けるつもりです。

書くどころか読むことさえもまともにできなかった自分でしたが、**「医学を目指したからこそ文学にも触れることができた」、「私のなかでの医学と文学との関連性があった」と、幸か不幸か、いまは思っています。**

電子書籍に一言

どんどん普及する電子書籍です。

スマホやタブレットとも相性がいいので、紙の本より利便性が高いと言えます。すでに出版された印刷書籍を電子ファイル化することで、印刷、製本、在庫確保、流通などの経費を大幅に削減できます。出版社を介さずともネット上で独自に出版することも可能ですから、自費出版を目指す人にとっては、さらに簡便です。

技術の発展に伴って、より良いサービスにニーズが集まるのは当然ですし、電子書籍の市場が伸びているのは自然な流れです。映画や音楽がすべてダウンロードやストリーミングに置き換わるのは時間の問題ですから、書籍においてもそうなるのは自明の理というものでしょう。

私自身もｉＰｈｏｎｅに変えたことで、電子書籍をパーム内の大きさで読めるようになりました。Ｋｉｎｄｌｅをインストールして、早速何冊かの本を読んでみました。

いまさらですが、物書きだからこそ、将来の電子化に備えて一言(ひとこと)論じておきたいと思います。

書き手にとっての電子書籍

冒頭ではメリットについて触れましたが、逆にデメリットとして強調されるのが、〝実体のなさ〟です。本を持っているという感覚に乏しく、実際に手に取って読む喜びや、紙から伝わる演出がありません。現に読書家のよく言う意見は、「現物がないことで満足感を得にくい」ということです。

再度メリットについて述べますが、いつでもどこでも読むことのできる利便性は高く、読みにくさや目の疲れなどを憂慮（ゆうりょ）される人もいるとは思いますが、間違いなく普及するものと考えます。そもそもインターネットがこれだけ発達して、情報のほとんどをＰＣやモバイル端末から得ている世の中を考えれば、デジタル化を否定する要素は微塵（みじん）もありません。

売り手側からしてみても、どんな媒体であろうが、活字に触れる人の増加はいいことだとしか考えないでしょう。本が売れないとなったら、雪崩を打ったように電子書籍に傾くのも時間の問題です。

そんな業界事情だと思うのですが、書き手から見ると形勢は少し違います。

単に知識を得るだけの本でしたら、すなわち、読み飛ばせるような本は電子書籍で構いませんが、参考資料にする本、学習用に読む本は電子化に向きません。紙の本なら直接メモ書きをしたり、気になるところに印をつけたり、ページの端を折ったり、付箋を貼ったり、破って壁に貼ったりすることもできます。一方、電子書籍の場合は自由自在にメモをしながら読み進めるということができません――マーキング機能はありますが、全体をおおまかにスキャンして印のない箇所を探すという作業はとてもしにくい。

直接的な書き込みができない以上は、頭のなかで整理しながら知識をつけていくしかなく、特に本からノウハウを学ぶ目的で読んでいる場合には、効率よく頭に入りません。

話は逸れますが、二〇一九年の豪雨によって私の自宅は避難指示の憂き目に遭いました。わが家の裏を流れる〝新田川〟が氾濫したからです。

避難所での数時間はとても長く、不安でしたが、そこで活躍したのが、なんといってもモバイルでした。被災状況をSNSでリアルタイムに知ることができたのは大きかったです。

時折電子書籍にも目を落として、時間をやり過ごしていました。そんななかで感じたのは、やはり「情報を得るためなら便利だけれど、深く没頭して味わう媒体としては、電子化は向かないな」ということでした。疲れますし、その割には頭に残らないというか、ニュースのように〝通り一遍〟にしか読めないというか、そんな状態でした。

本は想いの最小単位

私が本について語るとき、自著があれば、それは名刺代わりにもなるということです。特に被災地に住んでいますと、（最近は減りましたが）視察や研修、ボランティアなど、県外からのゲストが多く来られます。僭越ながら、被災地活動の話をしてくれと頼まれることも度々でした。

ひととおり話を終えた後で、「言い足りなかったところもありますので、続きはこの本を読んでみてください」なんて言うと、とても喜んでくださいます。形あるモノとしてお渡しすると、たとえ文字の羅列だとしても、そこには確かな実感があります。肌触りと言おうか、マトリックスと言おうか――「生み出すもの」というような意図を伝えたくて用いました――、概念ではなく、確かにそこには、行動としての足跡が残されていると認識してくださいます。

もちろん、ｉＰｈｏｎｅのなかの文字を見せて、「こんなの書いてます。よかったらダウンロードしてみて」と差し出しても、それはそれで理解はしてくださると思いますが、質感は伝えられません。

本は、「他人に渡したときに、大きな想いの最小単位として確かな手応えを感じてもらえる」ということでは、まだまだ必要な媒体なのかもしれません。

書き手や読書家が否定的

作家のなかには、いまだに手書きにこだわる古いタイプの人もいるかもしれませんが、若手のほとんどはＰＣによる入力でしょう。ワープロソフトによる執筆は、何度も書き直せますし、添削や校正もラクですし、これはもう絶対的なものです。

今後、音声入力の緻密化が進むでしょうけれども、「この記述を、こういう含みが伝わるように書き換えてみて」なんてことはできないでしょうから、推敲は手入力しかありません。ですので、書く側としては、しばらくこのままでしょう。

モバイルの機能も発達していくでしょうから、折りたためる軽い端末ができれば、格段に電子書籍が読みやすくなります（すなわち、通常はコンパクトですが、読もうとしたときに本のような大きさが確保できる状態）。この時点で、先のように、いくら直接書き込めない、メモ書きできない、印をつけられない、ページの端を折ったりできないと言い張ったところで、紙媒体は終焉を迎えるのではないかと思います。

電子化に関してはとどのつまり、好むか好まないか、馴染むか馴染まないかであって、良い悪いではありません。

電子書籍に対して否定的なのは、（もしかしたら自分を含めてかもしれませんが）実際の書き手や読書家の人たちが、まだまだ成熟していないからです。そういう人たちの否定的発言の方が有力だからです。あまり読書習慣のない学生や若い研修医なんかは、『『ワシントンマニュアル』――世界的に、圧倒的な支持と評価を得ている内科治療学の比類なきバイブル――がどこでも読めて、電子書籍の方がめっちゃラクっすよ」とくったくなく言います。

繰り返しますが、情報を拾うだけでしたら、電子書籍の方が間違いなく便利です。

まとめ

使用目的に応じてデジタルかアナログかを使い分ければいいのであって、これ以上考察しても意味はないでしょう。

いまの時代、文字も文章も大量生産、大量消費、大量廃棄なのだと思います。私のこの文章だって、未来永劫残さなければならないなどと、そんな大それたことを考えているわけではありません。でもだからこそ、**消える運命だからこそ、一時（いっとき）において、なんか形にこだわりたいという気持ちになります。**

電子には絶版もないし、あわよくば後世（こうせい）まで残せるということはわかっています。でも、自分の本の価値は、自分が一番よくわかっています。私の言っていることは普遍的なことでもなんでもなく、いまのこの現代人に伝えられればそれで十分です。ですから、せめて私はこの文章を、あえて製本したいのです。きっと多くの執筆家もそう考えているのではないでしょうか。

メンタルとフィジカルのバランス

私だけに限らないと思いますが、書くことの効用として、メンタルの安定があります。自分と向き合うきっかけになるからです。ただ、できうるならば、メンタルとフィジカルの、両方のバランスが大切だと感じています。もったいつけて英語で言いましたが、要は〝心身の健康〟という、実に単純な心がけです。

プロのなかには、フィジカルはおろか、メンタルを壊してまで執筆にいそしんでいる人もおられると思いますし、そうしなければ書けないという人もいるかもしれません。素人の私には、到底及ばない世界です。いやもちろん、作品に取りかかる姿勢を否定しているわけではありません。もしかしたらプロになるには、そうした覚悟が必要なのでしょう。

ただ私にとっては、〝フィジカルの要素を積極的に取り入れること〟が、より〝メンタルの維持〟に影響するし、ひいては、集中力や忍耐力にもつながるということです。

半分趣味の話になりますが、その行動とは、〝乗馬〟と〝ジョギング〟です。

私にとっての〝乗馬〟

すでにたくさんの媒体に、私が乗馬をはじめた経緯についてはお話ししていますが、いま一度改めて紹介します。それはずばり、『相馬野馬追』に出陣するためです。

福島県の浜通りには、『相馬野馬追』という行事があります。国の重要無形民俗文化財に指定された馬事イベントです。相馬氏の祖といわれている平将門が下総国に野馬を放ち、敵兵に見立てて軍事訓練を行ったのがはじまりと伝えられています。一〇〇〇有余年の歴史を誇り、総大将の出陣式を皮切りに、四〇〇余騎の騎馬武者たちが勇壮な戦国絵巻を繰り広げるのです。

この街に赴任し、はじめて野馬追を観たのが、すべてのはじまりでした。甲冑に身を固め、太刀を帯び、先祖伝来の旗指物を翻し、威風堂々にして豪華絢爛な進軍には、誇りのようなものを感じましたし、白鉢巻を締めた騎馬武者たちが、砂塵舞うなかを人馬一体となり、旗をなびかせて勇壮果敢に疾走する迫力にも、とことん魅了されました。

野馬追に出陣したくてはじめた乗馬でしたが、馬を知れば知るほど、私はどんどんこの世界にのめり込んでいきました。

野馬追の地だけに、普通にお宅で飼われている馬がたくさんいます。犬や猫と同じように、自宅敷地内に馬小屋があるのです。競走馬としての役割を終え、残りの半生を過ごすために、この地方に送られてきました。私は、野馬追を観覧して乗馬を習うまで、馬というものにはまったく、これっぽっちも興味ありませんでした。しかし、何の因果か、毎週その鞍に跨(また)がっています。どういうわけだか、馬具の手入れや馬房の掃除が日常化しています。そのようなことをしていれば、誰だって、どうしたって愛おしくなるし、できれば〝人馬一体〟という贅沢な瞬間を味わってみたくもなります。

乗馬というスポーツは、いままで私の経験してきた趣味、嗜好といったものとは、明らかに一線を画する趣でした。三メートル弱からの視界、動物のぬくもりと息づかい、馬の動きに合わせて乗る連帯感には、言い方は難しいのですが、「身体はもちろんのこと、心というか、魂を震わす技能的スポーツだ」ということです。

理由を考えてみると、それはこの街に送られてきた元競走馬への哀愁と関係があるのではないかと感じました。どれほど強かった馬でも、やがてその勢いは止まります。勝てなくなった馬は否が応でも登録抹消、引退というレールを敷かれます。その競走馬としての引き際が、私の人生ともオーバーラップするのかもしれません。

私が、かつて大学病院で培った業績やスキルは、この地での活動に対して、もちろん有益に働いています。しかし、大学という巨大組織のフロントラインに立っていた過去の自分から見れば、この地での己に――もちろん、それは自ら望んで来たわけなのですが――、何となく〝一線を退いた〟というか、〝過去からのリセット〟というか、そういう想いがあったのではないかという気持ちに駆られます。

厩舎からは、時折闘争的な嘶き(いなな)が響きます。狭い馬場にもかかわらず、それでもそのなかで軽やかな駈歩(かけあし)をみせます。そんな姿を見ると、「遥か昔の競走馬時代を思い出しているのかな」というような感慨に浸ります。馬たちは、この地に送られてきてからの生活をどう思っているのだろうか？　騎乗していると、指示に従ってくれることもあれば、反抗的な態度を取られることもあります。どんな姿になろうが、何歳になろうが、彼らには疾走していた若き日のプライドがあります。馬であったとしても、いや馬だからこそ、人間との共存を承認したその日から、長い長い葛藤と、折り合いとがあるのでしょう。

日本中央競馬会（ＪＲＡ）を退いた後、野馬追に出ながらゆったりとした余生を過ごしている馬に対して、〝都落ち〟だとか、〝望郷〟だとかの言葉を当てはめるのは少しセンチメンタルすぎるかもしれませんが、それでもどこか優美に映るのは、それが馬本来の自然な姿だからでしょう。

いまこの地で私が馬に焦(こ)がれる理由のひとつは、何となくの陰りをみせはじめた己の未来と、かつて競馬馬だった彼らの物憂げな余生とを重ね合わせてしまうからなのかもしれません。

乗馬を通した馬との触れ合いは、まさにフィジカルとメンタルとのバランスを図るための、大切な時間なのです。

私にとっての〝ジョギング〟

いつまで継続できるかわからないのですが、少なくとも私が、この地に来てからも地味に続けている活動が〝毎週末のジョギング〟です。

これまた、もったいつけた割には普通の回答で恐縮でしたが、当の本人からしてみれば、たいした功績です。そもそも運動というものをほとんどやってこなかった人間が、三〇代で登山をはじめ、四〇代でマラソンを習慣化させたのですから、これはひとつの偉業と言ってもおかしくありません。

さて、この地に来てからも、私はなぜジョギングを続けているのだろうか? 週に二回から三回、しかもたかだか一〇キロ程度を走っているくらいで「何を語れるのだ」と問われれば、おそらく、ほとんど何も言えないのですが、毎週のジョギングは、ものぐさな私にとってはそれなりの利益がありました。それはつまり、決まった周期で習慣的に身体を動かすメリットということになるのですが、フィジカルにとってはもちろん、メンタルにとっても大きいということです。

毎週続けていると、「今日は比較的うまく走れたな」と思う日もあれば、「だいぶバテたな」と感じる日もあります。うまく走れた日には、天気や気温、風向きや湿度に加えて自分の体調や精神状態、それと入院している受け持ち患者の状態など——実はこれがもっとも大きいのですが——、それなりの好条件が重なっていることがわかります。その一方で、激しく疲れた日には、その逆の悪条件が存在します。継続していくことで、そういう生の感覚を現実として認識することができます。

「走らなければならない」というほどではないのですが、「走るものだ」という自身への申し伝えによって、私は生活にネジを巻くことができます。技術の向上もさることながら、とにかく続けることが大切だということをはっきり目覚めさせてくれます。一〇回、五〇回……一〇〇回と行っていくなかで、その行為が、少しずつ身体に浸透していきます。

ジョギングという個人のスポーツに、どのような神髄や哲学があるのか私にはわかりませんが、継続運動を通した身体とのつき合いのなかにしか存在しない本質めいた覚悟というか、なにかわからないけれど自負のようなものを、なんとなく感じられるようになりました（要するに、まだ何もわかっていない）。

走るという行為は、右足と左足を交互に出して、なるべく速く効率的に肉体を前方に移動させるだけです。そんなシンプルな動きではありますが、ジョギングは途方もなく疲れます。疲れるだけならまだいいのですが、その割には正直言って、乗馬に比べて楽しくありません。

だから私は、「ものぐさな私にとってはそれなりの利益がある」などという先ほどの考えと多少矛盾するかもしれませんが、楽しくない行動に対する意味を探すために、毎週末になるとジョギングをしなくてはならない衝動に駆られるのかもしれません。

私にとって、ジョギングは、フィジカルの維持とメンタルのバロメーターとして、とても大切なのです。

まとめ

誰にとっても、どこの暮らしであっても、メンタルとフィジカルを向上させることは、より快適な生活を送るうえでは重要です。**書くことでメンタルを維持し、乗馬とジョギングとでフィジカルを鍛える。両者が混じり合うことで相乗効果を生み出す。**私にとっては、どちらも失いたくない活動です。

書くこととは一見関係ない趣味の話でしたが、それでも書くこと以外にもなにか、自分を支えるよりどころを作ることも大切です。南相馬市での生活が、より快適であれば――少なくとも不快よりは――、創作意欲も増すというものです。

書くための環境作り

「ミカン箱がひとつと、月明かりさえあれば、いつでも書ける」と大口を叩いてみたいですが、時代錯誤も甚だしいです。腰と目が悪くなります。当然長期的な執筆には向きません。快適かつ最適な、超甘やかされた環境で物書きをしたいと、私なんかは思います。

本項では書くための環境作りについて、思うところを述べてみます。

スペース

マンションや海辺の別荘でも借りて、書くための書斎を確保するというのは、プロならではの贅沢でしょう。素人は、自宅の自室というのが関の山です。もちろん、私もそうです。四畳半一間の部屋に机と椅子とを置いて、書架をカスタマイズしています。

提案としては、時に寝転びながら落ち着いて書ける場所と――自宅だと思います――、ある程度オフィシャルな状況を作れる場所との両方あるといいと思います。後者は、多くの場合職場というのが、ありがちな選択でしょう。私なんかは、病院の医局がそういう場所です。常に温度と湿度とが一定で、静かで、お茶やコーヒーもタダで飲めて、書く環境としては申し分ないです。病院ですから、たまにはネクタイを締め、革靴のままでの作業になりますが、その緊張感がほどよくもあります。

部屋もそうですが、もっとこだわらなければならないのは、机と、特に椅子です。私の場合、椅子は、大学病院勤務時代に研究費を横流しして買った〝オカムラ〟のしっかりとしたオフィスチェアです。当時一〇万円以上したと思います。二〇年経っても変わらない座り心地を維持しています。

喫茶店やファミレスで書くなんていう人もいると思いますが、素人がパブリックなスペースで書くというのは、なんていうか生意気と思われるかもしれません。きっと、見られているなかでの書き物に、ある種の優越感を抱いているのかもしれませんが、対価以上のアウトプットを出せる立場にならないと、そういうパブリックなスペースで人に迷惑をかけながら書くというのは、どうもいただけません。そういう意味では、前にお話ししましたが、図書館が精一杯です。

道具・アイテム

自分の扱いやすいＰＣというのは絶対です。ＭａｃＢｏｏｋにオフホワイトがあれば最高なのですが、私は、買ったときの在庫の関係で、Ｗｉｎｄｏｗｓの赤です。ＰＣで文章を書いていると、落とし穴として、ネットサーフィンをしてしまうとか、フリゲにハマってしまうとか、動画サイトに見入ってしまうとか、そういうことがときとしてありますが、多少の気分転換になっています。

それとプリンターは必要です。書いた文章を、時々印刷して読みます。誰もが思うことですが、画面で読むのと紙に印刷して読むのとでは、明らかに違います。紙の方が、リズムを捉えやすく、誤字脱字にも気づきます。

本書で何度か登場しているｉＰｈｏｎｅも、ボイスレコーダー機能（音声入力によるメモ帳）があり、電子書籍、インターネットによる情報収集などもできる、当たり前ですが、立派な執筆アイテムです。いまさら言うまでもないですね。

あと、自分で書いた文章を、機械音ではなく、爽やかな声で朗読してくれるアプリがあるといいなと思います（すでにあるのかな？）。

ゲラ校正には、赤インクを注入した万年筆を使用しています（アウロラのオプティマ）。唯一、手書きの残った部分ですから、格好だけだとしても、そこはこだわりたいです。

好みの音楽も必要なのではないかと推測します。クラシックやヒーリング音楽が定番だと思いますが、私は割とノリの利いた、単調で乾いた電子音楽を好みます（執筆中に限りますが）。クラフトワークのような中毒性のある繰り返し音楽を聴いていると、絶えず同じテンションが維持できるような錯覚に陥ります。

境遇

執筆に限りませんが、やはり悩みのない状態で仕事をすることが理想です。ですが、物を書いている人間の世代くらいになりますと、いろいろとストレスも多いことでしょう。会社勤めをしていたり、子育てをしていたり、親がうるさかったり、お金がなかったり、煩わしいと言っては語弊がありますが、なければもっと集中できるのにと思うことはあるでしょう。しかし、執筆していると、日常のストレスからいくぶん解放されるという前向きな考えにも気づいてほしいと思います。

いまの私の悩みは、母親の健康問題です。乳がんに加えて腰椎圧迫骨折をきたし、徐々に認知症が進んでいます。面倒をみている父親のサポートも含めて、ときどき埼玉の実家に帰っています。そういう家庭の事情に関しては、大人として無視はできませんから、場合によっては執筆に影響します。

もう少し若い世代でしたら、恋愛に悩む年頃の人もいるでしょう。「女遊びは芸の肥やし」とか、「男遊びは床上手の肥やし」と言っていられるのも四〇歳くらいまでです。現実がのしかかってきますから、執筆を長く続けたいのであれば、差し障りのない程度に整理していくべきです。

私の場合、良いか悪いかは別にして、交友関係がきわめて狭いです。一緒に飲みに行ける友人は、本当に片手の人数くらいしかいません。ストレスのほとんどが人間関係に起因していますから、いまのところそれで結構です（将来はわかりませんけれど）。

言いにくいですが、経済的な困窮というのも結構執筆には影響するようです（知人の作家談）。明日食べるパンも買えないようでは、執筆どころではないと思いますが、「そういう苦労も、作品のバネにしてくれれば」としか言いようがありません（現在、その知人は見事に活躍しています）。

時間

時間がないというのは、正直、言い訳です。私の場合は、診療の合間の隙間時間にも書いているという話をしました。見栄でもいいから、「時間がないから書けない」ではなく、「書いているので時間がない」と言ってみたいです。

そうは言っても、本業があるなかで、書く時間を捻出していくのは、結構大変なことです。結局のところ優先順位を何におくかによりますが、できるだけ無駄を省くに越したことはありません。

ただ、〝ハライチ〟の岩井勇気さんが、「ネタを書くには、そのための無駄な時間も必要だ」と言っていました。ネタ制作の前に、部屋を片づけたり、見たかったアニメＤＶＤを見たり、漫画を読んだり、ゲームをしたりと、楽しいことに取りかかるのだそうです。それを二週間ほどこなしてからのネタ作りは、楽しい気持ちでできるそうです。「我慢があるので、刑務所で食べるケーキが美味しく感じるのと同じ」と喩えていました。自分のテンションを上げていく一連の行動が必要なのでしょう。テスト前に妙にやってしまう行動ですね。わかる気がします。

本当に時間のない人は、身も蓋もない結論で恐縮ですが、やはり早朝時間をうまく利用するしかないです。そこでグッと集中すれば、通常の何倍ものアウトプットを出せると思います。

趣味

物書きに向いていそうな趣味は何でしょうか？

それぞれの好みで構わないのですが、おそらく旅行や芸術鑑賞（音楽、芝居、絵画、映画）なんかは感性を高めてくれそうで、よいのではないかと思います。手近なところでは、カメラや楽器演奏、料理でもいいでしょう。

さらに手近なところで言うと、私はラジオＤＪや漫才（落語）なんかも、相当執筆には役に立つと思っています。書いている合間に、ＹｏｕＴｕｂｅで視聴しています。話の持っていき方、オチのつけ所、あとは純粋にボキャブラリーや流行(はやり)言葉の勉強にもなります。ラジオでは〝伊集院光の深夜の馬鹿力〟、漫才では〝東京03〟のコントが、特に秀逸です。最近は運転中、iPhoneを車のスピーカーに接続して、これらを聞いていています。執筆のネタ集めを含めて、意外な発見につながります。

前項の〝メンタルとフィジカル〟でもお話ししたように、医者だからというわけではありませんが、スポーツのひとつもやっておいた方がいいでしょう。

私にはセンスがありませんが、表現力を鍛えられそうなスポーツができると、なおよいのだろうと思います。極端に言えば、フィギュアスケートやダンス、舞台演技なんかを嗜(たしな)んでいれば、きっと書き物の表現にも磨きがかかるのではないかと推測します（そんなスポーツができれば、書き物なんかに手を出す必要はありませんが）。

自分のことを言うようですが、ジョギングはよい趣味だと思います。走っている最中はつらいので、基本的には無心なのですが、フレーズの湧くことが結構あります。メモを取りにくいのですが、ボイスレコーダーとしてのiPhoneが活躍しますね。

趣味とは少し異なりますが、美容院に行くのが好きです。さっぱりするのは当たり前ですが、理髪もある意味、表現というか芸術の世界ですので、一時間くらいマスターと話をするのが楽しみです（店にもよるでしょうけれど）。

まとめ

なぜ、改めて紙面を割いて書く環境について述べたかというと、それは、書けなかった場合に環境のせいにできるからです。

「うるさいから書けなかった」、「体の具合が悪かったので書けなかった」、「心配事があって書けなかった」、などなど、そういう言い訳を用意しておきたいからです。

何かに責任転嫁できれば、いくぶん気持ちの救われることもあるでしょう。**肩肘張らずに続けることも大切ですので、そういうエクスキューズを揃えておくことも、長い執筆人生においては大切なのではないでしょうか。**

書くことで得たいもの

書くことについてとことん考えてはいますが、もし万が一、「作家にしてくれる」となったら、正直、さすがにビビってしまいます。

作家になれたとしても、作家で居続ける人はほんの一握りの、非常に厳しい世界だということは、百も承知です。それでも、書きたくて書きたくてたまらないという人だけが生き残っているという話を聞けば、当然尻込みをしてしまいます。〝直木賞〟や〝芥川賞〟を受賞したとしても、それはほんの登竜門に過ぎず、そこからが本格的な作家人生だと、誰もが口を揃えて言います。ですので、あまり背負うもののない私でも、生業にはしたくありません。というか、できません。でも、書き続けたいという希望はありますし、書くことを生活のメインに据えたいと思っています。とことん甘えに聞こえるかもしれませんが、プロであり続けることが実質不可能でしたら、そうするしかないという半分開き直りです。

では、いったい私は書くことで何を得たいのか？　そのあたりをもう一度整理しておく必要があるでしょう。

書くことで〝お金〟を得たいのか？

「素人の立場ですから、〝お金〟が欲しいということはありません。むしろタダでいいから書かせてください……」というのは、建前です。ですが、「お金が払えないなら書きません」という生意気なことを言うつもりも、けっしてありません。

自費出版と商業出版の両方を経験している自分から言わせていただくと、商業出版の方が、当然のことながら仕事意識は高いです。どちらも真剣の度合いは一緒ですが、商業出版の方は、自分でお金を払っていないぶん、逆に売り上げを気にしてしまいます。やはり、私を見込んで書かせてくださったのでしょうから、その出版社に迷惑をかけたくありません。せめて、かかった経費分くらいは売り上げたいと願うのが、ビジネスというものです。ですので、いまは、書くことにかかる経費プラスアルファのお金がもらえれば、それで十分です。

優等生のような回答でしたが、書く人は冷静に自分を見つめられなければなりませんから、いまの私の実力を考えれば、これでも贅沢な話です。でも、さすがに「お金を払いますから読んでください」ということになりますと、書き手としてはちょっと惨(みじ)めすぎますので、このくらいの希望でお許しください。

インターネット情報のほとんどがフリー（無料）の時代になりましたが、「ウェブで見られる無料コンテンツだけで満足していては、きちんとした価値を判断できる目は養われないのではないか」ということだけは、せめて指摘させてください。そういう意味では、しっかり対価の得られる物書きにならなければという戒めも込めて、お金に見合う仕事をさせていただきます。

書くことで〝賞〟を得たいのか？

「どんな〝賞〟か」にもよると思いますが、医者で言うところの〝〇〇専門医〟、〝××指導医〟の箔と同じくらいの意味はあるでしょう。そうした医師資格でも、あれば、とりあえずの権威にはなります。ただ、私は、一定の知識を詰め込むことで、『神経内科専門医』を取得しましたが、正直、診療の腕とは関係ないと思っています。患者さんにも、その有無を尋ねられたことは、ただの一度もありません。

「賞なんて煩わしいだけで、文章の質とは関係ない。ましてや読者はそんなこと気にしていない」と言ってしまえれば、いくぶん私の気は晴れるのですが、そんな強がりはすぐに見破られます。

〝文学賞〟は欲しいです。こう言っては少々卑しいですが、喉から手が出るほど欲しいです。理由は、村上春樹さんの言うように、賞は、作家としての入場券になるからです。賞を得ることで、目の前の門が開くそうです。

そう言われれば、一度は味わってみたいと願うのが人間でしょう。現役の物書きは、必ずと言っていいくらい何かしらの文学賞を受賞しています。虚勢を張っても仕方がありません。物書きとしての最低限の切符という、そういう役割を賞が果たすのでしたら、ぜひいただきたいです。

私の目指す賞のひとつに『日本エッセイスト・クラブ賞』があります。そのクラブは、昭和二六年設立、六九年間の歴史のあるエッセイスト親睦団体です。宝くじを買うかのように、毎年応募していますが、なしのつぶてです。受賞の確率をわずかにでも上げるには推薦者が必要なのかもしれませんが、そのような人もいませんので、単独勝負に出ています。

次回も、この書籍をもってチャレンジします。

書くことで〝名誉〟を得たいのか？

〝名誉〟の定義にもよるのですが、「人の才能や努力の結果などに関する輝かしい評価」とするならば、結構荷が重いと思います。この定義だとすると、先にも述べたように文学賞のひとつも受賞してないことには、当然そうした評価は与えられないでしょう。文学賞、イコール名誉というこ とになりそうですので、受賞の実績がなければ名誉なんてものも、どだい無理ということになります。

ですが、知名度を上げたいとは思っています。ちょっと生意気かもしれませんが、「書くことについて考えた人」という肩書きというか、ポジションのようなものが欲しいです。

少し古いかもしれませんが、『人は見た目が9割』は竹内一郎さん、『女性の品格』は坂東眞理子さん。これらは不動です。「（書かないで）書くことだけを考えている小鷹さん」というレッテルでも構いません。

でも、願うだけなら勝手ですから、あわよくば、次回作の礎となるべく――たとえば『本について考える本』でも、『読むことについて考える本』でも――、そういうピンポイントな位置づけで結構ですので、少しだけ知名度を上げたいです。

結局書くことで〝何を〟得たいのか？

結局のところ、お金も文学賞も名誉も、評価を受けなければ、すべて妄想に過ぎないということです。「これらはすべて俗物で、自分のエゴからくるものだ。何がもっと欲しいかといえば、読者のために、優れた作品を生み出せる能力をおいて他にはない」と声を大にして言ってみたところで、結構スベっています。

〝おためごかし〟すぎますし、「努力もしていないのに能力だけは欲しいのか！」ということになります。であるからして、「優れた作品を生み出す能力を作り出すための、〝努力できる才能〟が欲しい」と言い換えても、さらに上スベりしてしまいます。

「結局、才能が欲しいのか！」ということに、やはりなります。そういうことを考えると、最終的には、〝満足度〟というか〝幸福度〟というか、書くことで得られる「自分はこう見えても、真面目にコツコツがんばれる人間だよな」という己の気持ち以外にないようですね。

まとめ

作家になると大変でしょう。なれたとしても、続けることはできないでしょう。「そんな気持ちでいるうちは絶対無理だろう」と思われるかもしれません。でも、正確に数えたわけではありませんが、私の好みの作家の内訳を考えると、どうしても作家になると願ってなった人と、なんとなくなってしまった人とで、半々くらいの印象です。森博嗣さんなんかは、自著の中で、ビジネスで書いているだけと打ち明けています（『小説家という職業』）。

優れた小説を書いたとしても、小説どおりにいかないのが現実ですから、マイペースでぼちぼちやっていきます。

書籍化を考える

いよいよ最終章の最後の項目になりました。

〝はじめに〟でお話ししたように、そもそもこの文章は、ネット連載に端を発しています。本書における第一章から第四章のここまでのところを、この順番でネット配信されたわけではありません。書籍化にあたって大幅に加筆修正を行い、再構成したものです。

第一章で、これまで行ってきた書籍化の経緯について簡単に触れましたが、本項では、もし仮に、ネット記事を書籍としてまとめようとした場合に、どのようなステップを踏んでいくかについてお話しします。

内容の再構築

その時々で書いてきた連載を、経時的にそのままつなげたのでは、話題が散乱し、収まりが悪く、読みにくいものになってしまいます。

書籍になった場合、読者は数編を一日で読んだり、もしかするとありがたいことに数時間で

（場合によっては数十分で）読み切られたりすることを想定しなければなりません。順番を整理して、内容の重複を避けなければならないということです。

書き手側から見れば強調したい部分かもしれませんが、一冊にまとめる際には、読む側に「またか」と思われない工夫が必要です。ここでの元ネタで言えば、「書くことは人生を豊かにしてくれます」的な内容です（何度も登場しています）。「いいこと言っているな」と思ってくれたとしても、力説されるとうんざりしてきますね。

連載で書いていたときにはたいして気にならなかったセンテンスが、一冊の書籍になれば目につくこともあります。書き手には一定の癖がありますから、往々にして、言い回しや語彙や表現法や喩えなど、〝同じような技法で、趣旨は一緒〟という記述を繰り返しています。過不足のない修正を求められます。

要するに、文章を一度バラして、〝見出し〟を掲げて同じような記述をまとめ直し、重複している部分を削り、再構成させなければならないということです。

関連項目ごとにまとめる

連載で述べてきた項目を、類似する内容ごとに括（くく）るとすれば、どのような〝見出し（大項目）〟でまとめられるかを考えます。

大雑把ではありますが、「①いかに書いてきたか！」、「②書くこととは？」、「③どう書くか？」という三つの〝見出し〟でまとめられるのではないかと判断しました。結果的に、これらが章立てに反映されます。

「①いかに書いてきたか！」では、私がこれまで書いたエッセイの紹介文や、書いてきた経緯に関する項目を収めます。

「②書くこととは？」では、書くことに対する姿勢や考え、想いなどを綴った項目をまとめます。思想的な記述も、ここに入れ込むことになります。

「③どう書くか？」は、実際の書き方のノウハウを説いた項目です。

ただ、一回分の連載の中には複数の見出しにまたがって書いてあるものもあります。前半は書いてきた経緯を、後半は具体的な書き方を指南していたりします。つまり、①と③の成分を含んでいる記事です。こういうのは一旦解体して、まとめ直すしかありません。ツギハギにはなりますが、そうやって関連する記述を地道に組み替えていく作業を繰り返します。

再構成させて順番を入れ替えると、経時的な流れが失われます。時空のゆがみが生ずる可能性がありますので、そこはうまく調整していくしかありません。

最後に、分類できない記述をまとめるにあたり、「④書くことの先には」という見出しを設けました。ここでは、書くことを通して見えてきた暮らしや生き方、世相や時代などに触れた文章を組み込みます。

本にする価値を考える

　せっかく書いたのだから本にしたいというだけでは、理由として弱いと思います。毎週、新聞のコラムを書いている同僚がいますが、その人は、連載内容を本にする気はありません。仕事として書いているからです。時事ネタを情報として伝えるだけなら、わざわざ書籍にして残す意味はありません。

　私の思う本の価値として、「こんなの書いたので、よかったら読んでみてください」と、親しい知人に渡せるところに、最大の意義を見いだしています。

　そこで、お世辞でもいいから、「へぇー、すごいですね。本書いているのですか」と褒められ、照れくさそうに「はい、想いを活字にしてみました」と返答し、「では、早速帰ったら読んでみますね」と続き、「いやいや、興味があったらで構いません、つまらなかったらブックオフにでも売ってください」と一日恐縮するものの、「いえいえ、必ず読みますよ。だって、先生のこともっと知りたいですもの」と返されれば、もうそれだけで一年をかけて書いた価値があるというものです。軽くラブレターを渡すような気持ちですよね。

　要は、書いたものに、どうしても伝えたい〝何か〟があるか否かです。その、〝何か〟を伝えるために、自分の本は存在しているはずです。

子供たちへの思いを綴った母親の言葉、おじいちゃんが孫に残したいメッセージ、妻への愛情を込めた感謝の気持ち、己の半生の〝自分史〟、明かしておきたい真実の数々、みずみずしい自分の感性……、などなど。

これは作ってみなければけっして味わえない感激でしょう。自身の感動を伝えるひとつのきっかけが本であり、自分で作った本は、きっと何かの意味があります。たとえ自分のなかだけのベストセラーだとしても。

付加価値を持たせる

ネット上ではタダで読めた記事を本にすることで、曲がりなりにもお金を取ろうとしているのですから、何かしらの付加価値を与えなければと、私は思っています。

それは、ネットには掲載していない文章や情報を付加することに尽きるのですが、どういうものにするかはアイデア次第です。言い足りないところを大幅に加筆すれば、それだけで一万字や二万字は付加されるかもしれません。写真や（描ける人なら）イラストを載せるという手もあります。

エッセイを考える本ですから、実際に書いたエッセイ（の見本のようなもの）を載せたり、私が開催している『エッセイ講座』に通う参加者からの添削前、添削後の原稿を載せて解説したりというのが、もっとも妥当な対策だろうと思います。贅沢を言うなら、活躍しているエッセイストとの対談記録を載せられれば理想ですが……。

——結果的に、倍ぐらいに加筆しましたので、それでご勘弁いただければと思います。

どういう出版形態にするか

プロの作家でさえシノギを削る世界ですから、素人がはじめて書いた文章を本にしてくれるような出版社はありません。自費出版を考えます。

販売を目的としないなら、個人ですべてを行う方法もあります。執筆だけでなく、編集も自分で行い、印刷業者へも自分で発注するやり方です。こうすれば、かかるのは印刷代だけです。ただこの方法ですと、一般的な書籍のように流通に乗せるのは不可能ですから、売り上げの期待はできません。ですので、全国の書店に向けて流通してくれる出版社を選びます。自費出版のための出版社はたくさんありますので、一件ずつアクセスして自動見積のサービスを利用してみるのがよいと思います。

たとえば『幻冬舎ルネッサンス新社』は、「四六判　並製　ソフトカバー　1色（モノクロ）二〇〇ページ程度　一〇万文字程度　希望印刷部数一〇〇〇部　書店流通　あり　作品のジャンル：エッセイ」などの想定される書籍仕様を入力することで、出版費用の見積もりが出ます。

出版社にもよりますが、ざっとみて上記の仕様ですと二〇〇万円程度の準備は必要かもしれません（後は、売れるように推敲を重ね、営業でもがんばってもらうだけです）。

まとめ

　発信する人たちのなかに、自分の文章を書籍化したいと願う人が、どれだけいるでしょうか。たいていの人が考えるのか、半分くらいなのか、それはわかりませんが、私はしたいと思っています。たいして面白くない文章で、結局は自己満足で終わってしまうかもしれませんが、私は書き続け、形としての書籍化にこだわります。

「つまらない本を作っても、資源の無駄になるだけだ」と言いたい人もいるかもしれません。そういう人は、きっと口の達者なことでしょう。たいていのことは口述で伝えられますし、それによって、コミュニケーションを円滑に進められます。本なんかなくても困らない人です。

　残念ながら私にはそれができません。**口述でしたら、ここに書いた一割も伝えられなかったと思います。ですから書いて形にするしかないのです。世の中にはそういう人間もいるということを、どうかご理解ください。**

おわりに

〝書くことについて考える〟を中心に、書き手のプロでない人間が、いやプロでないからこその迷いというものを述べてきました。〝書くことを考える〟ことと、〝書くことについて考える〟こととは異なりますし、書くことについて考えることで、書くことも考えられるようになると思ったからです。

本書のタイトルを決めるにあたり、私は、ひねることなく、そのまま『〈ものを書く〉ことについて考える』にしました。

後からはたと気づきました。このタイトルで、果たしていいのかと。誰でも書くときは考えるでしょうから、それを説いた、似たような内容の本は過去にも存在し、加えて私と同じように、そのままのタイトルをつけた人も複数いるのではないかと。そうしたところ、意外にも、検索サイトにおいて、同一タイトルの本を見つけ出すことはできませんでした。そのますぎてセンスがないのか、書くことについて考えた本が、本当にあまりないのか、それはわかりませんが、いずれにせよ少し驚きました。

私は医者なので、医療を軸に据えた話が多かったと思いますし、東日本大震災の被災地という観点からの話題も少なからずあったと思います。そんな本を最後まで読んでいただき、本当にありがとうございました。もしかすると――いや、かなりの確率で――あまり役に立たなかったと感じた方もいらっしゃったのではないかと推測します。その理由は、「つまり何が言いたいのかよくわからなかった」ということでしょう。

実は私もそう思っています。

「書くという行為によって何が己を変え、どういうものを生み出していけるのかを考えながら書きたい」と意気込んで書きはじめたものの、結論が出ているとは言いがたい内容になってしまいました。

でもやはり、書くという行為は、きっとそういうことなのだろうと改めて気づきました。書くことの意味がわかり、「こういうことですよ」と言ってしまえれば、もう書く必要はありません。結論が出ないからこそ、また明日から、私はPCの前に座り、ああでもない、こうでもないとやるのです。書き続けることができるのです。

また、「書き手のプロでないし、たいして経験のない人間の考えることだから結論が出ないのでは?」という批判も聞こえてきそうです。

確かにプロの書き手の書いた〝文章の書き方〟的な本には、「読みたいことを、書けばいい」とか、「うまい文章を書く秘訣はないが、まずい文章を書かないコツはある」とか、「起承転結の組み合わせと素材の切り口で、あなたの作品が見違える」とか、「なぜ、どうしてを押さえてしっかりとまとまった文章を書く」とか、そういう決めゼリフが溢れています。爽快な切り口でエッセンスを語っています。でもやはり、よくよく読んでいくと、最終的な結論は、多くの場合「たくさん書くしかない」というものです。書くしかないと言われれば、こちらとしては書くしかありません。一所懸命書きました。

誰でも最初は素人です。これまでに書いてきたことは、書いていくうえで、おそらく誰もが通り過ぎる悩みなのではないかと思います。その悩みのまっただ中にいる人物の書いたものですから、なんらかの意味があると、勝手に自負しています。共感できる部分が少しでもあれば、それはそれで励みになるのではないでしょうか（そう願っています）。

さらに言うなら、「だいたい理解はできたけれど、読まれる前提で書かなければならないと言っておきながら、書き乱してもいい」みたいなことを言ったり、「自由に書いていいと言っておきながら、わかりやすく〝起承転結〟で書け」とも言っていたりして、「いったいどっちなのだ？」と物申(ものもう)したいでしょう。

はい、矛盾はいくつかあると思います。よくわかっています。書き方だけでなく、考え方もひとつではないということです。山の登山口がいくつかあるように、書き方にもいくつかの方法がありますし、眺める方向や気候によって、形や色彩もさまざま変化します。

山を喩えに出すのは卑怯かもしれませんが、本文のなかでも触れたように、大きな矛盾がなければ、その時の気分で論旨が変わるという、そういう一面がエッセイにはありうるのだということです。

固定されていた自分の考え、すなわち己の世界観を越えていくこと、すなわちそれが、エッセイ――〝越世（エッセイ）〟――なのです。

もう一言だけ、「別に書かなくても、楽しみ方はいくらでもあるし、人生を豊かにするための方法が書くことというのは、ちょっとオーバーではないか」と、この後におよんで、最後にまだそういうことを指摘する人がいるかもしれません。確かに、それはそうです。書くという作業は、孤独な作業です。人との触れ合いもほとんどありません。楽しいとは無縁の行為と思われても仕方がありません。

きっと書くという意味は、自身のなかにしかないのでしょう。でも書いている人間にとっては、やっとやっと見つけた自分なりの、自分だけの人生の味わい方なのです。私のように本業の片手間でしか書いていない人間が言うのも気が引けますが、でも逆に、その程度でしか書かない人でも、そこまでのこだわりを持てるのが、書き物なのです。

最後はくどくなってしまいました。繰り返しになりますが、本書は、書きあぐねている、まさに発展途上の人間の思っていることとご理解いただき、寛容なお気持ちでページを閉じていただければ、それは非常にありがたいことです。たとえその後、本書があなたの本棚の隙間に滑り込まれ、長い長い休養期間入ったとしても、あるいは、明日鞄に入れられ、リサイクルショップに売りに出されたとしても。

本書を発行するにあたり、エムスリー株式会社サイトプロモーショングループ、コンテンツプロデューサー村田佳子さんをはじめとするメンバーズメディア編集部の皆様には大変お世話になりました。この場をお借りして厚くお礼を申し上げます。また、本原稿の書籍化に関しまして、寛大なるご英断をくだしていただいた幻冬舎ルネッサンス新社の田中大晶さん、丁寧な編集を担当してくださった近藤碧さんに心より感謝を申し上げます。

令和二年六月　　南相馬市立総合病院の医局にて

〈著者紹介〉

小鷹昌明（おだか まさあき）

神経内科医・社会活動医・エッセイスト
1967年埼玉県に生まれる。1993年獨協医科大学を卒業し、同大学病院に勤務中、東日本大震災発生。震災の翌年、福島県の南相馬市立総合病院に転勤する。200本の医学論文を執筆、採択されるなかで文筆に興味を持ち、医療エッセイを書きはじめる。書くという行為にこだわり、独自の視点でエッセイを書き続けている。社会活動として、南相馬市で『エッセイ（を書く効用）講座』を開催中。
代表著書『医者になってどうする！』『原発に一番近い病院』（中外医学社）、『被災地で生き方を変えた医者の話』（あさ出版）。

カバーイラスト：飯田研人

〈ものを書く〉ことについて考える

2020年6月17日　第1刷発行

著　者　　小鷹昌明
発行人　　久保田貴幸

発行元　　株式会社 幻冬舎メディアコンサルティング
〒151-0051　東京都渋谷区千駄ヶ谷4-9-7
電話　03-5411-6440（編集）

発売元　　株式会社 幻冬舎
〒151-0051　東京都渋谷区千駄ヶ谷4-9-7
電話　03-5411-6222（営業）

印刷・製本　シナジーコミュニケーションズ株式会社
装　丁　　町口　景（MATCH and Company Co., Ltd.）

検印廃止

Printed in Japan
ISBN 978-4-344-92848-0 C0095
幻冬舎メディアコンサルティングHP
http://www.gentosha-mc.com/